PIGION Y TALWRN | 12

PIGION Y TALWRN

Golygwyd gan
Gerallt Lloyd Owen

Ⓑ Gerallt Lloyd Owen / Cyhoeddiadau Barddas ©
Argraffiad cyntaf 2012

ISBN 978-190-6396-51-0

Cyhoeddwyd gyda chymorth ariannol Cyngor Llyfrau Cymru.

Cyhoeddwyd gan Gyhoeddiadau Barddas.
Argraffwyd gan Wasg Dinefwr, Llandybïe.

CYNNWYS

Rhagair

Bu 1979 yn flwyddyn hanesyddol. Dyma flwyddyn y 'Na' i ddatganoli yng Nghymru. Dyma'r flwyddyn yr ymosododd byddin yr hen Undeb Sofietaidd ar Afghanistan. (A'r flwyddyn hefyd y bu raid i mi ei throi hi o'r ysgol fach am yr ysgol fawr!)

Bu hefyd yn flwyddyn fawr i unbeniaid – yr Ayatollah Khomeini yn disodli'r Shah yn Iran wedi gwrthryfel Islamaidd, a Margaret Thatcher, wrth gwrs, yn dod yn brif weinidog ei theyrnas unedig hithau. Ac, er nad oes cysylltiad o bethau'r byd, dyma'r flwyddyn hefyd y bu i Gerallt Lloyd Owen gychwyn arni fel meuryn *Talwrn y Beirdd* ar Radio Cymru!

A thros y 32 o flynyddoedd a ddilynodd yr apwyntiad hwnnw, does dim amau na fu i Gerallt ddatblygu yn un o ffigyrau amlycaf ac anwylaf y Gymru Gymraeg, yn un o'r criw dethol hwnnw o bobl a adwaenir wrth eu henw cyntaf yn unig. Roedd ei enw da fel bardd, cofiwch, wedi ei hen sefydlu cyn 1979, ac ni wnaeth cipio ei ail gadair genedlaethol ym 1982 ond cadarnhau'r farn fod Gerallt yn un o feistri mwyaf cerdd dafod ein cyfnod ni, a sawl cyfnod arall petasai'n dod i hynny. A'r feistrolaeth honno, wrth gwrs, oedd sail parch beirdd y talwrn tuag ato ar hyd y blynyddoedd.

Daeth y beirdd hefyd i ymddiried yn ei grebwyll a'i chwaeth fel beirniad, a hyd yn oed y tu hwnt i lawr y talwrn ei hun, fe glywsech (fel y clywch chi o hyd) dalyrnwyr yn holi wrth geisio penderfynu ar gywirdeb neu addasrwydd rhyw linell neu'i gilydd, 'Beth fyddai gan Gerallt i'w ddweud am hyn?'

Yn wir, mae'n deg dweud i Gerallt, drwy ei esiampl a'i anogaeth, lywio chwaeth artistig cenhedlaeth o feirdd.

Ar ben y cwbwl, fe addysgodd ac fe blesiodd genhedlaeth o wrandawyr, oherwydd roeddent hwythau wrth eu bodd yng nghwmni ei lais, ei ffraethineb a'i angerdd tawel. Ac mae'n galondid meddwl bod modd i fardd – a hwnnw'n cyflwyno rhaglen sydd, yn y bôn, yn gyfres o ddarlleniadau a beirniadaethau – fod yn ddarlledwr poblogaidd, a bod modd ystyried ei raglen ef (oherwydd rhaglen Gerallt oedd *Y Talwrn*) yn adloniant poblogaidd.

Ac wrth i mi gael y fraint o lunio'r rhagair hwn, a hynny ar wahoddiad Cyhoeddiadau Barddas, mae'n gyfle i mi fynegi fy nyled bersonol i Gerallt y bardd a'r meuryn, ac yn wir, Gerallt y dyn. Bu'n gefnogol i mi ers fy nhalwrn cyntaf, gan wybod pa bryd oedd angen canmol a chynnal, a pha bryd oedd angen cerydd. Yn wir, ymhlith fy nhrysorau pennaf, mae'r llythyr a'r englynion o longyfarchiadau a dderbyniais ganddo wedi Eisteddfod Genedlaethol y Bala ym 1997. A phwy oedd gyda'r cyntaf ar y ffôn wedi i'w olynydd fel meuryn gael ei apwyntio yn 2011 ond Gerallt ei hun.

Ond, os bydd unrhyw un yn y dyfodol am brawf o gyfraniad eithriadol Gerallt i gyfres *Y Talwrn* ac i farddoniaeth Cymru, darllened ef neu hi y gyfrol hon: mae'r graen sydd ar gerddi'r beirdd yn dyst i'w dyled hwythau, a'n dyled ni i gyd, iddo.

Ceri Wyn Jones

Cyflwyniad

Mae'n bleser gennyf gyflwyno'r deuddegfed casgliad o bigion *Talwrn y Beirdd*, sef cynnyrch y blynyddoedd 2005–2010, er na allaf warantu nad oes ambell gerdd o 2011 wedi sleifio i mewn. Y flwyddyn honno, 2011, oedd blwyddyn olaf fy ngoruchwyliaeth i ac mi hoffwn ddymuno'n dda i'm holynydd, Ceri Wyn Jones, gan obeithio y caiff yntau flynyddoedd lawer wrth y llyw. Ar yr un pryd, mi hoffwn ddiolch i'r beirdd, rhai ohonynt, fel finnau, wedi bod wrthi am 32 o flynyddoedd. Mawr yw fy niolch iddynt am ymddiried yn fy marn – a'm rhagfarn – oddi ar fis Hydref 1979. Ond, yn bennaf, diolch i'r cynulleidfaoedd ledled y wlad a'r gwrandawyr gartref am eu teyrngarwch i raglen radio sydd, hyd yn oed yn y dyddiau dicra hyn, yn profi fod gan y genedl hon ryw archwaeth rhyfedd am yr hyn a alwodd un o'm hen athrawon, Tecwyn Ellis, yn 'mydr a medrus ymadrodd'. Fe'ch gadawaf gydag englyn:

Er ymryson barddoniaeth â'n gilydd
    i gael goruchafiaeth
  ein Talwrn di-ddwrn a ddaeth
  yn Dalwrn ein brawdoliaeth.

Gerallt Lloyd Owen

ENGLYNION
CYWAITH

CLUSTOG

Yn nydd y llwm adnoddau – y clytwaith
Wnâi'r caletaf feinciau
Fin nos yn ddiddos i ddau
I anwesu'n eu heisiau.

Bro Ddyfi

HAPUSRWYDD

Daw, drwy'r glaw, o'r rhesi gwlŷdd; – yn ei law
Mae gwledd y diwetydd
A'i groen, yn rhychiog, a rydd
Wên iau na'i datws newydd.

Y Tir Mawr

CROESO ADREF

Mae'n nos, ac i fan anwel, at yr ofn,
At yr ias rwy'n dychwel,
At y llais tywyll, isel
Sy'n dweud ei ddweud, doed a ddêl.

Aberhafren

DAGRAU

(Tawelodd y newyddion am Gaza pan ddaeth yr
eira mawr [2009] er bod yr ymladd yn parhau)

Am fod gwarchae y gaea' – a galar
  Ac wylo dan eira,
  Geiriau'n oer a'r dagrau'n iâ,
  Gwn yr euog ni rewa.

Y Glêr

UCHELGAIS

Ym more oes rhois fy mryd – ar gyrraedd
  Rhyw ragorach bywyd,
  Ond mab caledi mebyd
  A'i feiau oll wyf o hyd.

Bro Ddyfi

UCHELGAIS

O frig ei domen mae'n gwenu o hyd,
  A ni wedi'n sathru;
  Oes ots faint o dwyllo sy'
  A fo'i hun ar i fyny?

Y Rhelyw

CERYDD

Er dweud â brath rhyw dadol awdurdod
  A dwrdio'n fygythiol,
  Y bachgen o'm gorffennol
  Llawn ei wên sy'n syllu'n ôl.

Aberhafren

CERYDD

Hynt Aelod oedd mantoli – ei lwfans
  A'i lif i'w bocedi;
  Ar ddydd y fôt rhoddaf i
  Ei naïfrwydd i'r cyfri'.

Howgets

CADAIR

Cyn dod o'r Maes na nodyn – na chywair
  Na chywydd nac englyn,
  Dan gledd rwy'n eistedd fan hyn,
  Eistedd cyn gweld y testun.

Y Glêr

DŴR

Lle'r oedd y punnoedd i'r pant – yn rhedeg
    Yn rhad i dir trachwant,
Er allforio'r llifeiriant
Daw yn ei ôl i Dŷ Nant.

Y Glêr

GEIRIAU

Hongian ar edau angof – yr ydwyf
    Tra rhed lladron trwof
Gan gipio aur cistiau'r cof;
Unwaith bu cyfrol ynof.

Manion o'r Mynydd

RHIENI

Imi y bu'u hymrwymiad, – rheolent
    Yr aelwyd â chariad;
Maeth a help pob mam a thad
Yw gwreiddyn ein gwareiddiad.

Bro Ddyfi

PORTHLADD

Mae Awst ymysg y mastiau i'n denu
　　Ni'n dyner i'w donnau;
　　Heb weld yn bell, bell o'r bae
　　Y niwl sy'n llenwi'n hwyliau.

Y Garfan

EIRA

Un bluen wen hamddenol – yn ysgafn
　　Ddisgyn yn ysbeidiol
　　A wna i ni droi yn ôl,
　　Wna esgus i gau'r ysgol.

Dinbych

HALEN

Yng ngwraig Lot ac mewn potyn; – yn nagrau
　　Unigrwydd ein cyd-ddyn;
　　Y Fenai a'r ddysgl fenyn
　　Y mae gwyrth y gemau gwyn.

Criw'r Ship

Y BRAWD MAWR

Warden ar bob awdurdod – yw'r duw hwn
  Â'r diawl yn gydwybod,
  A gwisga hwn dy gysgod –
  Diwyneb yw, nid yw'n bod.

Dinbych

CHWYDDWYDR

Ar adegau'r gred egwan, a gwenau'r
  Gannwyll braidd yn wantan,
  Bydd dyn sy'n parchu'i hunan
  Eto am weld y print mân.

Crannog

TÂL
(Diswyddo)

Siec hael oedd y siec ola'; – ond o hyd
  Gwell yw dwst y swyddfa
  A'r oriau hir yn yr ha'
  Nag arian i segura.

Y Taeogion

TRUGAREDD

Mae 'na bŵer mewn bywyd – yn eiriol
    Dros dymheru'r ddedfryd
    A fo'n gyfiawn, a gyfyd
    Boenau y gosb i ni i gyd.

Crannog

TRUGAREDD

I'n cynnal pan ddaw'r galw, yn yr hwyr
    Fe ddaw rhai i'n cadw.
    Daioni o hyd ydyn nhw,
    Y daioni dienw.

Y Garfan

ARIAN
(Cynilwr)

Yn ei lawnder materol – a'i elw
    Ar fantolen ffafriol,
    Fe ŵyr yn iawn gyfri'n ôl
    Ei geiniogau'n unigol.

Y Rhelyw

NEWID HINSAWDD

Gadwch i'r moroedd godi – a rhedeg
   Ar hyd yr aceri
   A gall 'rhen Loegr golli
   Lot o'i hawch – gwlad fflat yw hi!

Ffostrasol

TÎM
(Lladdwyd 12 o chwaraewyr rygbi rhyngwladol
Cymru yn ystod y Rhyfel Mawr)

'Pan fo'r chwiban ola'n canu, rhedwch'
   Oedd credo'r hyfforddwyr,
   'I faw'r parc ar fore pur,
   I hyfrydwch y frwydyr.'

Y Taeogion

BREUDDWYD

*'With this faith we will be able to hew out of the
mountain of despair a stone of hope'* –
Martin Luther King

Gwelai, tu hwnt i gelwydd – eu byd gwyn,
   Er bod gwynt y mynydd
   Yn griau dig, wawrio dydd
   Pan âi i gopa newydd.

Y Cŵps

DRWS

Ymwared i'r annedwydd – yw eco
 Rhyw glicied aflonydd
 O nos lwyr y selerydd
 Yn agor dôr tua'r dydd.

Dinbych

CYFRINACH
(Hunan-niweidio)

Mae'n llwyddo i guddio'r gwir, – y crafu
 A'r gwaedu a gedwir
 Yn dawel, am na welir
 Ei loes hi dan lewys hir.

Aberhafren

SIOM

Unwaith dy law a fynnais, – dy gariad
 Diguro a gefais;
 Heno cledr yw siâp y clais
 A melyn yw lliw'r malais.

Howgets

CAMEL

Trwstan dy loncian di-lun – ac o hyd
   Mae gwawd yn dy ddilyn;
   Cofiwn un weithred wedyn –
   Cariaist aur i'r Crist ei hun.

Dinbych

SIOM
(Hillsborough)

Syberwyd llais y bariau – o wasgu
   Esgyrn ar derasau,
   Malu cyrff yn ymyl cae:
   Darniwyd ein holl Sadyrnau.

Y *Tywysogion*

SAT NAV

Yn arf ar siwrnai hirfaith, – a oes Llyw,
   A oes llais Cydymaith
   Yn dy gynnal di ganwaith
   Hyd y doi i ben dy daith?

Y *Cŵps*

FFWLBRI

Afonig yn llifo i fyny, – byw'n gant
　　Heb un gŵyn, a Chymru'n
　　Rhydd o faich taeogrwydd fu,
　　Unwaith mi gredwn hynny.

Manion o'r Mynydd

FFWLBRI
(Y digrifwr)

Yn hysterics pob un stori hwyliog,
　　Ni welwn pan chwerddi
　　Golyn dwfn dy galon di'n
　　Rhoi ei ddagrau mor ddigri.

Aberhafren

ADDURN

Gwin y ddawns a hogen ddel – a sws gudd,
　　Nes gweld bod fy angel
　　Yn fodrwyog ei bogel;
　　Yno mwy nid wy'n ymhel.

Tan-y-groes

CRAITH

Ei hôl sydd wedi cilio, – aeth y clwyf,
   Aeth y clais, ond eto,
   Ei hanaf sy'n dal yno
Ynghudd yng nghelloedd fy ngho'.

Y Cŵps

MICHAEL FOOT

Ni hawliodd neb ei focs sebon – fel hwn,
   Dôi ei floedd o'r galon,
   A ffydd ddiwyro ei ffon
Yn rhy daer, yn rhy dirion.

Y Cŵps

LEIN DDILLAD

Waeth pa hynt wrth y pentan, – yn y gwynt
   Ar goedd yn cyhwfan
   Mae ar y lein olch mor lân
Yn ddi-fefl o'n greddf aflan.

Beca

ELW

Os heddiw cariad fuddsoddaf – a'i roi
Mor hael ag y gallaf,
Fe ddaw tw' ac elw gaf,
Ie, filwaith fy nghyfalaf.

Tan-y-groes

4x4

Baw glân bob dydd i'w orchuddio, – rhyw fwd
Ar fodur yn sgleinio'n
Addurn o gefngwladeiddio,
Ond baw o diwb ydi o.

Manion o'r Mynydd

ADERYN
(Gall cyfryngau newydd fel Twitter roi
gobaith i'r iaith)

Hyd wifren lle clyw'r wennol erydu
Ei thrydar clasurol,
Daw 'deryn iau, di-droi'n-ôl
Yn adenydd trydanol.

Aberhafren

GWYBODAETH

Os mai'r *Sun* eto a brynaf, – os eu *News*
   'Nhw' o hyd a wyliaf,
   Wel, dyna ni, gweld a wnaf
   Y newyddion a haeddaf.

Y Taeogion

RHWYD

Ella y caf drwy'r tyllau hyn i gyd
   Fan gwan, lle mae'r edau
   Yn fôr hallt cyfan o frau,
   Yn iaith tu hwnt i'r pwythau.

Y Cŵps

DEALL

Drwy'r hen fref, cyn bod llefydd ar y map,
   Cyn creu mur a hewlydd,
   Fe wyddai defaid y dydd
   Mai eu hŵyn biau'r mynydd.

Y Taeogion

DEALL

('Poetry is best when partly, but not wholly, understood')

Yn eu hawydd anniwall – i'n herio
   Gŵyr y geiriau cibddall
   Y daw awen, o'i deall,
   O gerdd i gerdd yn rhy gall.

                        Crannog

FFERM ORGANIG

Mae'r rhai iau'n ymroi i'r had yn unol
   Â'r hen, hen draddodiad,
   Gan drin daear yr arad
   Fel fy nhaid, nid fel fy nhad.

                      Y Taeogion

OLWYN

Y geiniog annigonol a wariwn
   Yn y ffair dymhorol
   Ar ei thro ynfyd, hudol
   A rown i, i'w throi yn ôl.

                      Y Tir Mawr

PIGION Y TALWRN

ARWRIAETH
(Diwrnod rhyddhau Mandela)

Hwn, o'r gell, i'r haul mawr gwyn – 'ddôi â'i wên
    Yn ddawns, ac yn sydyn
    Ro'n i'n dal fy nagrau'n dynn
    Yn fy amrant ... am fymryn.

Y Taeogion

DDOE

Os mynn y balch wyngalchu – yn ddeheuig
    Feiau ddoe a'u celu,
    Anodd er hyn ailwynnu
    Ôl y cen hyd dalcen tŷ.

Bro Alaw

BRECWAST

Bob dydd mi gaf wledd sylweddol – o dost,
    Mewn dau dŷ fel rheol,
    A phob tro ei hawlio'n ôl
    Yn hawdd drwy fraint seneddol.

Bro Alaw

BRECWAST

Huliodd, yn nryswch galar, – le i ddau,
Arlwy ddoe'n ei gwatwar,
A'r bwrdd fu'n angor i bâr
Yn ynys ar awr gynnar.

Howgets

SWPER

Heno mae'n ras a hanner, – pawb â'i blat,
Pawb â'i lofft a'i bellter,
Tŷ â blas at fwyta blêr:
Pawb â'i bryd, pawb â'i bryder.

Y Tir Mawr

SWPER

Er o raid mai go gyffredin – y bwyd,
Roedd llond bol o chwerthin
Gynt; ond swper y werin
A aeth yn sgram wrth ein sgrîn.

Dinbych

PIGION Y TALWRN

FFOS

Mud aros i'r storm dorri, – y weddi'n
Troi'n waedd, llanciau'n codi
O chwys oer ei lloches hi
Yn eu rhengoedd i drengi.

Y Cŵps

FFOS

O hon yr aeth miliynau – yn un twr
'Dros y top' dieisiau,
A rhy hwyr yw eu mawrhau
Heno mewn rhes o enwau.

Ffostrasol

CARIAD

Heno cymer dy seren, un o'r rhai
Sy'n frith hyd yr wybren,
Ei dal hi mewn dwy law wen,
Yn dynn, a'i rhoi i Dwynwen.

Beirdd Myrddin

LLYGAID Y DYDD

Un teulu o betalau yn ei gwallt
A roes gynt, a hithau
Fore oes mewn eiliad frau
Yn cadwyno'r cudynnau.

Manion o'r Mynydd

GWELY HAUL

Ni waeth am boen y creithie a hawliodd
Mewn salon am orie;
Ni waeth: fe hawliodd hithe
Y lliw haul gorau'n y lle.

Y Taeogion

GWYDR
(Llun y Geni mewn ffenestr liw yn Eglwys
Gadeiriol Chartres yn Ffrainc)

Yno yr af fy hunan hwyr y nos,
A'r un Iesu bychan
A gaf yn ffenest gyfan,
A'r un modd yn ddarnau mân.

Y Taeogion

TRAED OER

Un gair penysgafn am gariad, – un gair,
   Dyna i gyd fu 'mwriad,
   Un gair cyn myned i'r gad ...
   ... I rywle, aeth yr eiliad.

Aberhafren

COLSYN

Mae gwrid ynof sy'n cofio – am ei wres
   Er mor oer yw carco'r
   Lludw gwyn, – a'r colsyn co'n
   Byw o hyd i'm tanbeidio.

Tan-y-groes

TWYLL
(John Cooper, llofrudd sir Benfro)

Y gwaed ar rwyg o edau a dyfai'n
   Edefyn, a hwythau'r
   Anochel gyfrinachau
   Yn gweu cylch, a'r cylch yn cau.

Aberhafren

TWYLL

Heno, mor betrus yw f'anwes – o gael
    Un wên gam yn ernes
    Y daw haul drachefn â'i des
    O gelwydd ar ein Gwales.

Aberhafren

TWYLL

Hel angau o'r maes a'i flingo, – ar oen iach
    Mae'r croen oer, ac yno
    Hi a glyw o'i arogl o
    Wanwyn ei hailegino.

Manion o'r Mynydd

CADW-MI-GEI

Yn aflonydd ddiflino – hi ddeuai
    Yn ddiwyd i storio,
    Yna cael o fap y co'
    Y wledd yn awr y cloddio.

Dinbych

CADW-MI-GEI

Dig'wilydd ydyw golud – y siwtiau
    Sy'n swatio mewn hawddfyd;
Elw'r banc yn chwalu'r byd,
Yna bonws dibenyd.

Manion o'r Mynydd

GALWAD FFÔN

Yn nhywyllwch llinellau – sieryd sain,
    Sieryd saib dieiriau
Lle y deil anneall dau
I hofran rhwng y gwifrau.

Aberhafren

RHWYD
(Gwylio plant yn chwarae pêl-droed yn y parc)

Rhyw hen Sadwrn, yn sydyn, sy'n galw
    Yn sŵn goliau'r bechgyn
Wrth weld hanner amser hŷn
Yr haf olaf, hirfelyn.

Aberhafren

GWYBODAETH
(Wrth gofio stori Ceridwen a Gwion Bach)

Dy ferw'n dew ei ewyn, – a'i lanw
　　Dros linell y tywyn
　　Yn gorlifo; rho, er hyn
　　Dy fôr mewn tri diferyn.

Y Tir Mawr

OLWYN

Yn blant 'roedd cylch ei hantur – yn wreichion
　　A phob sgrech yn gysur
　　A'n reiat lond yr awyr
　　A haf o hwyl yn rhy fyr.

Dinbych

ATEB
(Cofrestr Ysgol Pant-glas, Aber-fan)

Hen friw y gri foreol – a dreiddia
　　Drwy'r huddyg pentrefol
　　Yn ddieiriau fyddarol:
　　Nid oes neb yn ateb nôl.

Waunddyfal

PIGION Y TALWRN

ATEB

A hi'n rhy driw i'w briwiau, mae eto'n
   Ymatal rhag geiriau,
   Yn closio at y cleisiau,
   Yn rhy ddof i ymryddhau.

Aberhafren

MANEG
(I Muhammad Ali)

Yn ei gof mae'i faneg e'n – dal i fynd,
   Dal i fod y gore,
   A'r gŵr rhy wag o eirie
   Yn dal i ddweud â'i law dde.

Y Taeogion

HEN STORI

Yn fab, yr oedd gennyf i – un hudol;
   Fy nhad a'i rhoes imi.
   Yn dad fy hun, d'wedaf hi
   Nes daw ŵyr ... mae'n hen stori.

Y Tywysogion

GWERSYLL

Yn y Bae bu trais yn ben, – hawliau'n rhacs,
   Olion rhwd ar weiren;
   I garcharor siwt oren
Hybu'r twyll wnaeth No. 10.

Howgets

FFERM ORGANIG

Techneg sy'n gemeg i gyd – all roi lliw
   Ar y llain ddioglyd,
   Ond er hyn, aeddfeda'r ŷd
O ddoeau'r ddaear ddiwyd.

Crannog

AELODAU SENEDDOL

Wedi'r addo daw'r rhyddid – i wneuthur
   Unrhyw beth, oblegid
   Heddiw ddaeth â'i ffordd ddi-hid,
Nid yw ddoe ond addewid.

Beca

CWYMP
(Y daeargryn yn L'Aquila, yr Eidal, 2009)

Er rhofio llwch canrifoedd – lle lloriwyd
   Allorau yr oesoedd
   Mewn ennyd awr, mwy nid oedd
Ond murmur du'r dyfnderoedd.

Y Cŵps

YR EHEDYDD

Mae'i enw ar lethrau'r mynydd – a'i gri
   Yn y graig a'r gweunydd
   Yn dweud, er mor hwyr y dydd,
Y daw inni adenydd.

Howgets

EMYN

Yn nhymor deor duwiau – yn gannoedd
   Fe ganwn y nodau,
   Gylch ar ôl cylch rownd y cae,
Yn gôr heb faich y geiriau.

Bro Ddyfi

PRIS
(Wrth hedfan ar wyliau)

Mewn awyren uwchben y byd, – mor hawdd,
   Mor rhad yw dychwelyd
   Heb 'styried bod ein credyd
   I'r ddaear hon yn rhy ddrud.

Y Glêr

CWESTIWN
(... neu ddau!)

Ai gwir fod Duw sy'n Gariad – wedi bod
   I Bush yn ysgogiad
   A'i annog o i fynd i'r gad?
   A yw'n siŵr pwy sy'n siarad?

Bro Ddyfi

CWPLEDI |

PIGION Y TALWRN

Rhyfel sy'n frwydr breifat
I'r wraig sy'n syllu i'r grât.

Rhys Iorwerth (Aberhafren)

Rhowch lipstic coch ar fochyn,
Ond hwch yw hwch er gwneud hyn.

Anwen Pierce (Tal-y-bont)

Di-fudd defnyddio dy fôt
A bwled yn troi'r balot.

Huw Erith (Y Tir Mawr)

Rhowch lôn ddibris i'r Nissans
A'r M Un i lori Mans.

Dai Jones (Crannog)

Rhannu ofn wna'r hwn a wêl
Ateb yng ngheg y botel.

Berwyn Roberts (Dinbych)

A yw lladd yn bechod llai
I lofrudd yn ei lifrai?

Tudur Puw (Manion o'r Mynydd)

Wyf uniaith ger y Fenai,
Wyf ail iaith yn Nhaf-Elái.

Llion Pryderi Roberts (Aberhafren)

Yng ngwelltyn dyn er ei dw'
Fe erys trefn ei farw.

Huw Erith (Y Tir Mawr)

Y rhai iau sy'n ddoeth erioed,
Y rhai annoeth yw'r henoed.

Emyr Jones (Tan-y-groes)

Yn Sir Fôn, yn siŵr o fod,
Cynghorydd oedd King Herod.

Rhys Iorwerth (Aberhafren)

Ynni glân nid pyllau glo
Yn fynych sy'n difwyno.

Nici Beech (Criw'r Ship)

Er hwb pob dyfais a chred
Nid â dŵr ond i waered.

Nia Powell (Manion o'r Mynydd)

Yn ein byd, er bod sawl bòs,
Un arall sy'n eu haros.

Aled Evans (Beirdd Myrddin)

Un fendith wnaeth y fandal –
Rhoi'i lun ei hun ar y wal.

Arwyn Roberts (Bro Alaw)

Ddoe yfais mor ddiofal
Fod rhaid, gwir raid, gwlychu'r wal.

Ieuan Parri (Howgets)

Y mae nwyd pob marwydos
Yn oeri'n hawdd wedi'r nos.

Hywel Griffiths (Y Glêr)

Fel y bu tad gan Saddam,
Fe fu gan Bin Laden fam.

Ceri Wyn Jones (Y Taeogion)

O gŵys i gŵys, bob yn gam,
Cae ŷd ddaw'n darmacadam.

Aron Prichard (Aberhafren)

PIGION Y TALWRN

Ar yr iard nid hyd y rhes
O fuchod a wna fuches.

Emyr Jones (Tan-y-groes)

Yn ddistaw rwy'n dweud 'Na-wes'
Pan fo'r byd yn dwedyd 'Wes'.

Dewi Pws Morris (Crannog)

Fe gaem urddas petasai
'R cyfoethog â'u llog yn llai.

Gwen Jones (Glannau Teifi)

Gwn heb os nac oni bai:
Moel wyf heddiw, moel fydda' i.

Huw Meirion Edwards (Y Cŵps)

I bawb, mewn celfyddyd bur,
Nid ar hast y daw'r ystyr.

Wyn Owens (Beca)

Mae ystyr yn ymestyn
I roi mwy i'r rhai a'i mynn.

John Rhys Evans (Llanbed)

PIGION Y TALWRN

Mor ofer dy dynerwch
Wedi rhoi dy gleisiau'n drwch.

Llion Pryderi Roberts (*Aberhafren*)

Yn y dafarn rhad arnom
A dau beint yn costio bom.

Gruffudd Owen (*Y Cŵps*)

Gwledd haws i'r tŷ a gawsom –
Têc-a-wê yw'r bwyd dot com.

Emyr Davies (*Y Taeogion*)

Oni ddewisi fyw'n ddoeth
Ofer yw byd o gyfoeth.

Nia Powell (*Manion o'r Mynydd*)

Yn y Rhyl â'r glaw'n parhau
Un wylan ni wna wyliau.

Huw Dylan (*Y Berwyn*)

Hudolus fel tôn Dalek
Yw'r iaith ar S4C.

Guto Dafydd (*Y Tywysogion*)

PIGION Y TALWRN

Yn y llan hawdd tyngu llw,
Wedyn nid hawdd ei gadw.

Iwan Bryn James (Y Cŵps)

Nye Bevan sy'n hen hanes,
Ble'r aeth y Wladwriaeth Les?

Joan Thurman (Glannau Teifi)

Sylw hael gaiff y seléb
A'i hanes yn ein hwyneb.

Wyn Owens (Beca)

Sawl Swyddog euog a wêl
Arwyr ofer ei ryfel?

Karen Owen (Y Rhelyw)

Mae eryr yr Amerig
Yn dwyn y byd yn ei big.

Karen Owen (Y Sgwod)

Y mae gwên, drwy'r siom i gyd
Yn annwyl doddi'r ennyd.

Richard Lloyd Jones (Llanrug)

Chwithig o unig i gâr
Yw gwely pan fo galar.

Gwilym Fychan (Bro Ddyfi)

Yn wahanol i'r henoed
Y rhai iau sy'n iawn erioed.

Tudur Dylan Jones (Y Taeogion)

Pws rhy agos un noson –
Plu a gwaed a poli gon!

Beti Wyn James (Y Garfan)

Ni yw'r wlad sydd am gadw
Llannau'n hiaith, a'u cestyll nhw.

Karen Owen (Y Rhelyw)

Hen hofel yr anifail
Oedd yn dŷ i Ddyn di-ail.

Gwen Jones (MYW Dyfed)

Mae ein *troops* gwâr o arw'n
Marw'n well na'u meirwon nhw.

Ceri Wyn Jones (Y Taeogion)

Ni bu gwanwyn heb ŵyn bach
I lwynog fwydo'i linach.

Tegwyn Jones (Bro Ddyfi)

PENILLION
TELYN

Mae'r llywodraeth nawr am ddeddfu
Mewn tafarnau ni chaf smygu.
Ymbil wnaf fel un sy'n Gymro
Cas gŵr na charo'i wlad, a'i faco.

Raymond Osborne Jones (Ffair-rhos)

Gwelais feinwen, fe wnes ffoli,
Gwariais ffortiwn yna'i phriodi.
Erbyn hyn, o'i gweld yn ddyddiol,
Callach peth pe pryn'swn sbectol.

Emyr Davies (Ffostrasol)

R'ôl gweld llun o 'nghariad i
Mynd a wnes i gwrdd â hi.
Roedd y llun yn hen ma' raid –
Roedd hi'n debyg iawn i 'nhaid.

Gareth Jones (Y Tir Mawr)

Mi wn fod nant y mynydd
Yn troelli tua'r pant;
A gwn 'run modd mai *weirdos*
Sy'n mynd i'r Ŵyl Gerdd Dant!

Emyr Davies (Y Taeogion)

Mi wn fod natur fy niawlineb
Yn llechu ynof dan yr wyneb,
Ond rwyf bob dydd yn dal i gredu
Mai dim ond fi sy'n gwybod hynny.

Huw Erith (*Y Tir Mawr*)

Clywais ddweud gan wybodusion
Mai gwaed a chyhyr ydi calon,
Ond all neb esbonio imi
Sut mae'n curo ar ôl torri.

Beryl H. Griffiths (*Penllyn*)

Buom unwaith wrthi'n casglu
Cregyn gwyn ar draeth Cwm Tydu.
Es yn ôl i chwilio droeon
Ond ni welais ddim ond gwymon.

Hywel Rees (*Crannog*)

LIMRIGAU |

Bu lladron yn nepo'r hen Fansyl
Yn dwyn pob diferyn o ddisyl.
   Go drapia'r dihirod,
   Mae'n gythra'l o bechod
Na ddwynon nhw'r loris a'r cwbwl.

Gareth Jones (Y Tir Mawr)

Mae dyfodol y byd o dan gwmwl;
Todda iâ y pegynau, dw i'n meddwl,
   Coda'r môr, sudda'r tir;
   Gawn ni weld cyn bo hir
Graffiti sy'n deud 'Cofia Lerpwl'.

Les Barker (Cadw'r Ffin)

Gerllaw Aberangell roedd plismon,
Gerllaw Aberangell mae plismon,
   A'r tro nesa'n slei,
   Reit siŵr mewn *lay-by*,
Gerllaw Aberangell bydd plismon.

Osian Rhys Jones (Y Glêr)

Aiff pobol ar dân mewn i ryfel
Dros sawl achos gwych ac aruchel
    Ond sdim a wnaiff ddyn
    Mor hynod o flin
Â dilyn wrth din lori Mansel.

Geraint Williams (Y Cŵps)

Roedd Morus a Mari'n gwersylla
Mewn pabell yng nghornel Cae Pella.
    Byddant ym Mrawdlys Gwent
    O flaen Ustus Bent
Am *loitering within tent* wsnos nesa.

Lyn Ebenezer (Ffair-rhos)

Yn wleidydd, bûm innau yn ffynnu
Cyn sgandal y gwario a'r prynu.
    Rhag suddo yn is
    Mae'n rhaid talu'r pris
(A chadw'r *receipts* ar ôl hynny).

Gwenno Davies (Dinbych)

Wrth ddod draw yn rhy chwim ar fy meic i,
Gyda'r Meuryn mewn seidcar yn deidi,
 Ar fforch, es i i'r dde
 Ond i'r chwith yr aeth e,
Mae 'na rai wedi'i weld e'n Llanboidy!

   Ifan Pleming (*Aberhafren*)

Mewn cilfan tu allan i Nefyn
Mi sleifiais ugeinpunt i'r Meuryn.
 Addawodd yn deg
 Y cawswn i ddeg –
Ond nid am ddau bump wnes i ofyn.

   Arwel Roberts (*Criw'r Ship*)

Es adref o'r Talwrn un noson
'Rôl curo y Mynydd o'r Manion.
 Wrth wylio'r teledu
 Fe gefais fy synnu –
Roedd hyn ar benawdau'r Newyddion.

   John Glyn Jones (*Dinbych*)

PIGION Y TALWRN

Pe bawn i yn digwydd troseddu
Mewn Talwrn, mi hoffwn i gredu
    Y cawn ganddo fo
    Ddeg marc am y tro
A beiro am ddal i gystadlu.

Edgar Parry Williams (*Manion o'r Mynydd*)

I lawr o'r hofrennydd daeth Wili
I'm winsho o'r eira'n Eryri,
    Ond pan o'n i'n saff
    Mi dorrais ei raff
A gadael y crinc yno i rewi.

Ifan Pleming (*Aberhafren*)

Gofynnodd Deborah i'w gŵr
'Fuest ti'n yfed cwrw neu ddŵr?'
    Fe gododd o'r pafin
    A'i bans rownd ei gorun
Ac ateb cyn disgyn, 'Shai'n shŵr'!

Emyr Davies (*Y Taeogion*)

Pam mae pecinîs Timbactŵ,
A'u gwragedd, a sawl gwdihŵ,
   A deuddeg gorila'n
   Cyd-fyw ym Manila?
Beth ddiawch sydd o'i le ar y sw?

Ifan Pleming (Aberhafren)

Chwiorydd busneslyd Cwm-sgwt
Sy'n gofyn pwy, beth, pryd a shwt
   Yw Hollie a Pam,
   A holi ma'u mam
O pam yn y byd ches i'm crwt?

Gwennan Evans (Waunddyfal)

Y praidd a sgrialai'n ffwdanllyd,
Roedd rhai dan y seti'n ymaflyd
   A'r Parch T. T. Tomos
   'Di cael 'Cwrw'r Achos'
Yn taflu tomatos o'r pulpud.

Gareth Jones (Y Tir Mawr)

Y diwrnod yr aeth o yn Formon
Doedd Ifan Tŷ Hen ddim yn wirion;
    Cyn hir daeth yn hysbys
    Fod gwraig arall, Glenys,
A mab iddo'n byw yng Nghaernarfon.

Gareth Jones (*Y Tir Mawr*)

Y ffasiwn yn awr yw tatŵ,
Fy mwriad oedd cael gwdihŵ.
    Ond roedd prinder inc
    A chefais ji-binc
Heb goesau mewn lliw nefi blw.

Emyr Davies (*Ffostrasol*)

D'wed Ann iddi gadw i'w chalon
Gyfrinach ei hoedran yn gyson.
    'Rwy'n ugain,' medd hi,
    'Ers blynyddoedd di-ri',
Wel, hanner can mlynedd yn union.'

Meirion Jones (*Howgets*)

Mae'r gw'nidog, sy'n folgi o frîd
'Di llarpio'r te cnebrwng i gyd.
   Yng nghefn capel Wesla
   Mae'n llyfu ei wefla'
Gan wybod yn iawn geith o stîd.

Gareth Jones (*Y Tir Mawr*)

Roedd Tex mewn Ferrari bach drud
A nain heb ddim brys yn y byd,
   Fel 'tasai mewn angladd,
   Ond dyma nhw'n cyrra'dd
Y nefoedd yn union 'run pryd.

Gareth Jones (*Y Tir Mawr*)

Bob tro pan dwi'n gyrru dwi'n sbidio,
Yn wir ichi, fedra' i ddim p'idio,
   Ond nid fy llun i
   Sydd yn eich llun chi:
Mae'n edrych fel fi, ond ddim fi 'dio.

Geraint Løvgreen (*Caernarfon*)

PIGION Y TALWRN

Wrth imi fynd adre o'r 'Steddfod,
Fe alwais 'da Charles Llwynywermod;
    Yn Cairo fe'i siomwyd
    Medd ef: camgymerwyd
Camila am un o'r camelod.

Emyr Davies (*Y Taeogion*)

Wrth imi fynd adre o'r 'Steddfod
Fe'm cipiwyd gan gôr o fenywod.
    'Dw i'n fardd,' meddwn i.
    'Sdim ots gennym ni,
Mae'r Meuryn 'di bod yma'n barod.'

Ifan Pleming (*Aberhafren*)

Mae sôn fod 'na fferm ar bwys Cei
A honno yr unig un, glei,
    Drwy Gymru yn grwn
    (A thrwch y byd hwn)
Sy' heb wneud *Cefn Gwlad* gyda Dei.

Ceri Wyn Jones (*Y Taeogion*)

Rwy'n byw ym mhlwy Llidiad Nennog;
Ugain milltir i ffwrdd mae Llangadog,
 Llanllwni a Brechfa,
 Ffair-fach a Llanwrda.
Ble celech chi le mwy canolog?

Dai Jones (Crannog)

'Set Un' yn 'Biol' oeddwn i
Ac Annabel May yn 'Set Thri'
 Ond un amser chwara'
 Rownd cornel y gampfa
Hi roddodd yr addysg i mi!

Ioan Roberts (Bro Alaw)

Dydd Llun, dydd Mawrth a dydd Mercher
Ni wnes i ddim byd, 'n ôl fy arfer;
 Fe wnes i fwynhau
 Gwneud dim byd ddydd Iau,
Ac fe wnes i fe eto ddydd Gwener.

Joan Thurman (Glannau Teifi)

PIGION Y TALWRN

Mi es ar fis mêl draw i Hung'ry
Ar ôl i mi briodi â Julie.
    Roedd hwnnw yn straen
    Ac o hynny ymlaen
Byw 'da *pest* fyddwn i byth ar ôl 'ny.

Hywel Mudd (Beca)

Mae talu am bopeth yn sialens,
Y wledd a'r mis mêl a'r holl nonsens
    Yn ddillad a char
    A pharti a bar –
Mae'n well gen i saethu heb leisens.

John Rhys Evans (Llanbed)

Fe gawn ni ddeddf iaith yn reit handi
Heb gyfaddawd nac angen am oedi,
    A chael goruchafiaeth
    Ar Brown a'i lywodraeth
Os ffendiwn gwrs Wlpan i Lumley!

Llion Pryderi Roberts (Aberhafren)

PIGION Y TALWRN

Clywais ddoe o le dibynadwy
Fy mod i o dras Gwyllied Mawddwy,
    Tra bod y Meuryn
    I'r Barwn yn perthyn –
Gall heno droi'n noson gofiadwy.

Dafydd Morgan Lewis (*Y Cŵps*)

Am gafflo a gwneud 50p
O Dalwrn y Beirdd BBC
    Drwy hawlio'r gost teithio
    O Blwmp i Langeitho,
Gobeithio ca' i fynd yn MP.

Ceri Wyn Jones (*Y Taeogion*)

Mae'r miloedd sy'n dod i Borthmadog
Yn gwybod yn iawn am law Stiniog,
    Bedd Gelert, gi ffyddlon,
    Yr Wyddfa, Portmeirion
A'r Manion o'r Mynydd fyd-enwog.

Edgar Parry Williams (*Manion o'r Mynydd*)

PIGION Y TALWRN

Cyflawnodd uchafbwynt ei yrfa,
Fe redodd i ben ucha'r Wyddfa
    Ond byddai 'di arbed
    Cryn drafferth 'tae Aled
'Di rhedeg yn syth i'r amlosgfa.

Gareth Jones (Y Tir Mawr)

Roedd Carlos yn sipsi o nod,
Yn rhagweld pob troad o'r rhod.
    Mae nawr yn ei fedd
    Yn gorwedd mewn hedd
Wedi methu gweld lori yn dod.

Dewi Pws Morris (Crannog)

Mewn ffair at y sipsi'r es i:
'Fe gollwch chi ffortiwn,' medd hi.
    A'r gwir a lefarodd
    Wa'th am a broffwydodd
Fe gododd hi ganpunt o ffi!

Ceri Wyn Jones (Y Taeogion)

Mi fydda i'n *ninety* ha' yma
A 'nannedd i'n dathlu ha' nesa'
 A ma' 'mocha fi'n hŷn
 Na bocha fy nhin
Gan mai 'mhen i ddoth allan yn gynta'!

     Nia Môn (Criw'r Ship)

Peth creulon yw gorfod heneiddio,
A'm cof i ddim cystal ag oedd o;
 Fy ngwallt erbyn hyn
 Yn ddim ond blew gwyn,
A'm cof i ddim cystal ag oedd o.

     Gwenno Davies (Dinbych)

Amhosib, yn siop B&Q,
Yw prynu un hoelen na sgriw;
 Fe ddônt mewn pacedi
 Sy'n llenwi eich troli,
Ac wedyn dwy awr yn y ciw.

     Harri Williams (Y Rhelyw)

PIGION Y TALWRN

Pan oeddwn mewn talwrn yn Hermon
Yng nghanol llond cegin o feirddion,
    Y llinell rwy'n gofio
    Yw lein y wraig honno
A ddwedodd, 'Dewch mla'n, bytwch ddigon'.

Dewi Pws Morris (Crannog)

Beth welais ym Miwla un noson
Yng ngolau dwy *dorch* fel angylion
    Yn eiste'n jacôs
    Oedd bechgyn Ffair-rhos
Mewn mynwent, yn dwgyd englynion.

Hywel Mudd (Beca)

Mi glywais am ŵr o Ffostrasol
Gymysgodd blwm pwdin â phetrol;
    Fe daniwyd y 'brandi'
    Ar ôl profi'r twrci
A nawr mae e'n pobi i'r diafol.

Harri Williams (Y Rhelyw)

PIGION Y TALWRN

Mae geneth yn byw yn Y Fali
A radio bach, bach yn 'i chlust hi.
 Mae'n gwrando o hyd
 Ganeuon y byd,
Mae'r erial mewn lle digon digri.

John Gruffydd Jones (Tegeingl)

Un diwrnod wrth ddarllen fy sêr
Fe sylwais 'mod i'n cael affêr.
 A minnau yn briod
 Â phedair yn barod,
Mae hynny ychydig yn flêr.

Aled Evans (Y Garfan)

Mae'r heddlu, oherwydd y wasgfa'n
Cwtogi ar offer a lifra
 A heddwas Bryn Gro
 Yn eistedd ar to
Yn gweiddi 'Ni No' 'nhraed ei sana.

Gareth Jones (Y Tir Mawr)

PIGION Y TALWRN

Bu i blismon o ardal Pen Llŷn
Bore ddoe arestio fo'i hun.
    Yr hyn oedd yn hynod
    Nid oedd o yn gwybod
Ble'r oedd o nos Sul na dydd Llun.

Hedd Bleddyn (Bro Ddyfi)

Un tro gwelais ddau ddyn yn gweithio
Ar yr hewl y tu fas i Langeitho.
    Dwedodd un wrth y llall,
    'Gen i syniad reit gall.'
'Paid â phoeni,' medd hwnnw, 'mi eith o.'

Iwan Rhys (Y Glêr)

Rwy'n ceisio fy ngorau gweld heibio
Yr arwydd gwaith ffordd i gael ffendio
    Ydi'r dyn 'rochor draw
    I'r Jac Codi Baw
Â'r fflag yn ei law wedi deffro.

Edgar Parry Williams (Manion o'r Mynydd)

Pan oeddwn i'n effro un noson,
Drwy'r pared, fe glywn fy nghymdogion
    Yn joio mas draw
    Tan chwarter i naw,
A minnau heb ddim ond atgofion.

           Harri Williams (Y *Rhelyw*)

Dw i'n ferch sy'n defnyddio *Tea's Maker*,
Gan daflu pob dim mewn i *blender*;
    Dw i'n cymryd drwy'r nos
    I neud pwt o sôs –
Y *fi*, deud y gwir, yw'r *slow cooker*.

           Menna Medi (*Criw'r Ship*)

Bûm yn dathlu pen-blwydd Anti Hannah
Yn gant tri deg wyth wythnos d'wetha'.
    Cefais wisgi a chwrw
    Er nad oedd hi acw –
Bu farw yn nechrau'r saithdega'.

           Hedd Bleddyn (*Bro Ddyfi*)

Mor cŵl oedd 'rhen Jac-y-do
Yn eistedd mor hy ar y to,
 Arweinydd y gang,
 Nes clywodd o fang,
A nawr mae 'di mynd. Ho. Ho. Ho.

Owain Rhys (Aberhafren)

Ac meddai T. L. cyn pregethu
I gwt hanner gwag yn Llanfaethlu:
 'Fy nhestun i heno ...'
 Bu raid iddo stopio –
Roedd pawb a oedd yno 'di cysgu.

Gareth Jones (Y Tir Mawr)

Pan oedd Jacob yn dringo yr ysgol
A chyrraedd bron iawn at ei chanol,
 Daeth boi *Health and Safety*
 A gweiddi 'Hei, Jaci,
Wyt ti'n 'nelu am fywyd tragwyddol?'

Hedd Bleddyn (Bro Ddyfi)

Yn neintin nôt ffor aeth hi'n fain
Ar fwgan ym mhentre Llan-gain:
    Ca's ddiwygiad syfrdanol,
    A dilynai'n llythrennol
Yr adnod, 'Ystyriwch y brain'.

Tudur Dylan Jones (*Y Taeogion*)

Un noson gerllaw Penrhiw-llan
Mi gwrddais â brawd Prinses Ann.
    Ynghlwm wrth ei sgidie
    Roedd set o sgaffoldie
I ddala ei glustie fe lan.

Dai Rees Davies (*Ffostrasol*)

PENILLION
DYCHAN

PIGION Y TALWRN

PRIFEIRDD

Er ymroi'n drwm i'r awen, a ydynt,
   Wedi'r clod, yn darllen
   Yr un llyfr yn enw llên
   Ar wahân i'w rhai'u hunen?

Rhys Iorwerth (Aberhafren)

TRAFNIDIAETH GYHOEDDUS

Dw i'n dallt, dw i'n meddwl, y pregethu 'gwyrdd'
I ostwng y traffig sydd ar ein ffyrdd,
   Ond ai dyma'r rheswm tu ôl i'r ffaith
   Na fu bws drwy'r pentra ers amser maith?

Tudur Puw (Manion o'r Mynydd)

TRAFNIDIAETH GYHOEDDUS

Mi deithiais y byd ar drên moethus, drud,
Cyn dal hen fws Crosville, yn ffôl.
Doedd gen i ddim *stress* ar yr Orient Express,
Ond rŵan does gen 'im pen-ôl.

Ifan Pleming (Aberhafren)

PIGION Y TALWRN

RSPCA

Âr-es-pi-si-ê yn casglu.
Achos teilwng, pwy all wadu?
Ac fe gaen nhw swllt gen inna'
'Tasa'r blydi 'R' ddim yna.

John Wyn Jones (Bro Alaw)

RSPCA

Nodyn i gydnabod y daeth eich cais i law
Ond roedd yr inc 'di rhedeg (a fuodd o mewn glaw?)
Mae'ch cais am Drwydded Cludo Anifeiliaid ar daith
Wedi cael ystyriaeth fanwl a'i adolygu'n faith.
Mae gennym ein pryderon, rhagwelwn y bydd strach
O roi'r holl anifeiliaid i gyd mewn lle mor fach.
Felly, waeth gen i pwy yw'ch bòs chi, na'ch cymhellion da:
Yn syml, Mr Noa, yr ateb ydi 'Na'!

Endaf ab Ieuan (Howgets)

CYFOETHOGION

Rhaid yw rhwystro miliwnyddion
Rhag cyfrannu at y tlodion.
Byddai pres yn gwneud nhw'n ddiog
Ac, yn waeth fyth, yn gyfoethog.

Arwel Roberts (Criw'r Ship)

PIGION Y TALWRN

WIMBLEDON

Os yw Murray'n Brydeiniwr i bob un
　　Tra bo yn fuddugwr,
　　Pan gyll y mae'r tipyn gŵr
　　I bob un yn Albanwr.

Emyr Davies (Y Taeogion)

MYFYRWYR

Cawsom unwaith wersi caled,
Dysgwyd ni rhag mynd i ddyled,
Ond mae rhaid i'n plant, er hynny,
Fynd i ddyled er mwyn dysgu.

Hywel Rees (Crannog)

MEDDYGON

Ro'n i yn fy ngwely echdoe yn drwm o dan y ffliw,
Ond pan ffoniwyd am y doctor mi ges fy rhoi mewn ciw!
A ddoe wrth godi'n sydyn mi faglais dros fy nghrys,
Disgynnais ar y landing a thorri'n ffêr a 'mys!
Dw i heddiw yn dioddef – angen sylw yn ddi-oed,
Mae gen i boenau garw o 'mhen hyd fawd fy nhroed!
Mi ffoniwyd y feddygfa a ches apwyntiad yn ddi-strach,
Caf weld y meddyg ymhen mis, os byddaf fyw ac iach.

Phyllis Evans (Manion o'r Mynydd)

CEFFYL BLAEN

Pan mae'r harnesi yn tynhau
'R un blaen sy'n cael y pwyse,
A phan ddaw hwn i ben ei rawd
Mae'r lleill yn gweld ei eisie.

Owen James (Crannog)

S4C

Mae'n anrhydedd sgwennu cerdd
I longyfarch sianel werdd
Ar y brig, 'sdim dou am hynny,
Fel esiampl o ailgylchu.

John Rhys Evans (Llanbed)

CAPELWYR

O feddwl bod rhain yn arddel
Llawenydd y bywyd yng Nghrist,
Mae mwy o gynnwrf mewn mynwent
A'r cyrff yn llai syber a thrist.

Huw Dylan (Y Berwyn)

TECHNOLEG

A minnau 'di prynu compiwtar mawr newydd,
'Na ffodus 'dw i mod i'n nabod technegydd
Sydd wastad wrth law pan fydd problem beiriannol,
Ond dwn 'im be wna'i pan ddechreuith o'r ysgol!

Llion Pryderi Roberts (Aberhafren)

UNRHYW ELUSEN

Tri deg pum biliwn o bunnau –
Dyna gyllideb amddiffyn,
Ond briwsion i arbed bywydau
Sy'n disgyn i bowlen cardotyn.
Gwêl eto'r hen hanes cyfarwydd:
Daw achub yn ail i arfogi;
Ni welir y Fyddin yn trefnu
Ffair Sborion i brynu bwledi.

Les Barker (Cadw'r Ffin)

RHEOLAU DIOGELWCH

I achub eneidiau
Bu raid diffodd y gân
Gan nad oedd yn Seilo
Allanfa dân.

Idris Reynolds (Crannog)

PIGION Y TALWRN

RHEOLAU DIOGELWCH

Canmolwn yn awr eu hymdrechion
Am daflu rheolau i'r pair
Gan roddi eu hunain yn gyntaf
Cyn emyn, a gweddi a'r Gair.
Fe'u molwn am dorri traddodiad
A hawlio pob sylw a chlod
Nes llwyddo i gau ambell gapel
Fu'n iach a diogel erio'd.

Beti Wyn James (Y Garfan)

SENSORIAETH

Anfonwyd gohebwyr o Gaza,
Rhoddwyd taw â gynnau a gwg,
Caewyd holl ffiniau gwybodaeth
Ond deallwyd yr arwyddion mwg.

Meirion Jones (Howgets)

CYFIEITHWYR

Gall unrhyw un gyfieithu
O fedru mwy nag un iaith,
Ond nid yw hynny'n golygu
Y *dylai* pawb ychwaith!

Llion Pryderi Roberts (Aberhafren)

CYFIEITHWYR

Ni fu 'Raised Manhole Covers' fawr iawn
O drafferth i'r Adran Gyfieithu;
Mae'r Gymraeg yn dysteb i'w dawn:
'Caeadau Twll Dyn ar i Fyny'.

Gareth Williams (Y Tir Mawr)

CYWIRDEB GWLEIDYDDOL

Edmygwn y gwleidyddion
A gododd yn ein tir,
A ddysgodd ddweud yn gywir
Rhag iddynt ddweud y gwir.

Ceri Wyn Jones (Y Taeogion)

CYFALAFIAETH

Dydd Llun, dydd Mawrth, dydd Mercher,
  Y bûm i'n gwario'n ofer –
Gwario dim llai pan ddaeth hi'n ddydd Iau
  A minnau yn ben bancer;
Mewn dyled drom ddydd Gwener,
  Ond poeni dim fel arfer –
Mentro'n hy', gan mai'r tlota' ei dŷ
  Sy'n talu'r llog bob amser.

Eifion Lloyd Jones (Dinbych)

CYFALAFIAETH

Mae gen i filiwn yn y banc.
Cyn hir, mi fydd 'na ddwy.
Be ydi'r pwynt cael ffiol lawn
Os medri lenwi mwy?

Arwel Roberts (Criw'r Ship)

GWYBODUSION

Mae 'na bobol wybodus iawn, iawn yn y byd,
Ambell un yma heno o'ch cwmpas,
Ond mae un sydd yn gwybod pob peth am bob dim
Ac mae'n perthyn i mi – drwy briodas.

Arwel Roberts (Criw'r Ship)

Y CYMRY CYMRAEG

Rhown chydig bres i'w cau nhw yn eu Steddfod;
Rhown sianel fach ynysig at eu dant;
Rhown ffôns bach ar wahân at eu gwasanaeth
A chaniatáu ysgolion Welsh i'w plant;
Wrth gadw'u cywion bach nhw i gyd mewn gwaith
Ni chlywn ni fwy o lol am hawliau iaith.

Myrddin ap Dafydd (Y Tir Mawr)

IAWNDAL
(I'r Aborigine)

Ers amser y breuddwydion
Pan grëwyd creigiau'r paith,
Bûm yma'n blasu rhyddid
Yr eangderau maith.
A'm hiawndal am oroesi
Pob celwydd, ar fy ngwir,
Yw'r rhyddid i edwino
Mewn cilcyn cefn o dir.

Phil Davies (Tal-y-bont)

IAWNDAL

Cyn llenwi fy ffurflen am iawndal
Am gamwedd rhyw yrrwr ffôl,
Bu'n rhaid i mi brynu un beiro,
Ond mi hawliais ei bris o yn ôl.

Hywel Griffiths (Y Glêr)

YNADON

Yn barchus, yn gyfiawn,
Rhoi pawb yn eu lle,
Cael trefn ar y werin
Ac adre' i de.

Iwan Roberts (Llanrug)

PAPURAU NEWYDD

Wfftiais pob dalen o'u hanllythrennedd,
Holl synio afiach straeon llysnafedd,
Y bronnau, pob WAG, cyfadde' gwagedd
Hen leisiau 'enwog', a slîs y Senedd;
A hynny er bod gwinedd – yn parhau
Sy'n cofio'u moesau yn inc fy mysedd.

Karen Owen (Y Rhelyw)

NEWYDDION TYWYDD

Rhyddhad i'r holl gyfryngau,
Boed aeaf neu yn ha',
Yw tywydd drwg a'i helbul
Yn gwneud newyddion da.

Elwyn Breese (Bro Ddyfi)

LOL

Mi ganaf glod i gylchgrawn
Sy'n rhoddi cryn fwynhad,
Mae'n dweud y gwir am fawrion
(A manion) rai ein gwlad;
Nid oes 'na bwnc sydd yn tabŵ –
Wel, ar wahân i'w hanes nhw!

Elwyn Breese (Bro Ddyfi)

PENILLION
YMSON

YMSON BABI

Mi dw i 'nghanol llwyth o famau
Sy'n rhoi mwytha a thynnu stumiau,
Finnau yn y goitsh yn gwenu,
(Ma' nhw'n dweud mai gwynt 'di hynny)
Ond fy hun, mi ydw i'n ama
Fod 'na fwy na gwynt yn fama.

Huw Erith (Y Tir Mawr)

PRY COP

Rwyf yma'n gysurus yng nghornel y siop,
Mae'r llyfrau'n cael llonydd – a finne'r pry cop
Sydd bellach yn debyg i lyfrgell y dre –
I ddiawl â'r siop lyfrau – maen nhw i'w cael ar y we.

John Jones (Ffair-rhos)

TALYRNWRAIG

Er mor hardd yw dail y coed
A'r blodau ar y rhos
Ac er bod swyn yng ngeiriau'r dydd
Daw'r gerdd yng nghanol nos.

Mari George (Aberhafren)

WRTH DDILYN CERBYD

Rydwyf, diolch iti'r Combein,
Wedi smocio paced Wdbein;
Erbyn imi gyrraedd Meifod
Bydd fy M.O.T. 'di darfod.

Gareth Jones (*Y Tir Mawr*)

MILFEDDYG

Ar fuarth Ffos y Fagddu
Dan lach y gwynt a'r glaw
Mor braf yw bloeddio 'Calon Lân'
I anghofio lle mae'r llaw.

Owain Rhys (*Aberhafren*)

AR SAFFARI

Rôl talu ffortiwn i fynd ar daith
I weld y creaduriaid
Yn rhochian a gorwedd a chodi ffeit
Yn wich ac yn ochenaid,
Sylwais nad yw'r olygfa hon
Ddim cweit mor anghyffredin:
Mae'n union fel hyn bob hanner nos
Ar y sgwâr yn nhref Caerfyrddin.

Tudur Dylan Jones (*Y Taeogion*)

WRTH OLAU COCH

Tu ôl i'r ferch dlws o bechadur
Fe welaf yn nwyd Amsterdam
Fod ganddi hi'n union 'run papur
Â'r un sydd ar wal yn nhŷ Mam.

Gareth Jones (Y Tir Mawr)

WRTH OLAU COCH

Rwyf i yn fochyn daear
Shakespearaidd, wyddoch chi,
yn ymson wrth y golau
'Tî bî or not tî bî?'

Ceri Wyn Jones (Y Taeogion)

WRTH BRYNU LLYFR

Dw i 'di cychwyn ers ben bora,
Bûm yn Rhewl ac Abergela,
Bûm yn Ninbych *via* Nantglyn,
Abergela ddwywaith wedyn,
Capel Garmon, Capel Curig,
Rownd a rownd a rownd Llyn Brenig.
Es hyd ffyrdd a âi am byth
A dyma fi. Yn Rhyl. Yn 'Smiths'.
Os na lwyddaf i gael atlas
Ffendia' i fyth mo Bentrefoelas.

Gareth Jones (Y Tir Mawr)

MEWN MAES CARAFANNAU

Mae'n Sadwrn ola'r 'Steddfod,
Rwy'n moyn gwneud nymbar tw,
Ond och, mae Tudur Dylan
Wedi blocio'r *portaloo*!

Owain Rhys (Aberhafren)

MEWN FFAIR SBORION

'Faint ydi'r *Pigion Talwrn*
Sy'n fan'na?' medde fi.
'Mae hwn yn drysor heb 'run pris,
... Ond fe'i cei am 20p!'

Llion Pryderi Roberts (Aberhafren)

TALYRNWR

Rwyf 'leni eto'n cymryd rhan
Fel bûm am dri deg mlynedd,
A gwn o brofiad, anodd yw
Cael beirniad sy'n ddiduedd.
Ac un peth arall, gwaethaf modd,
Sy'n dal i godi 'ngwrychyn –
Mae'r arian ddaw o'r BBC
Mor brin â marciau'r Meuryn.

Dai Rees Davies (Ffostrasol)

MEWN GOLEUDY

Mor unig yw fy nghyflwr
Heb gwmni fy nghydweithiwr
A storm o wynt sydd i mi'n bla
Rôl bwyta hwnnw neithiwr.

Eirwyn Williams (Llanbed)

MEWN GÊM

Yma bu 'nhad yn dilyn
Y gwys dros lethrau'r bryn,
Yn gwmni i'r gornchwiglen
Mewn gwres llywannen dynn.
Dirymodd surni'r gweryd
A phlannodd yn ei grwm
'Mhlith stori, cân ac englyn,
Gymdogaeth dda y cwm.
Dros *greens* 'rhen fferm rwy'n chwarae
Gan lusgo troli fach,
Mewn pantalŵns dwyn fale –
Fel Ianc a *brogues* y crach.
Caf *albatross* ac *eagle*,
A *birdies* uwch y môr:
Fy *handicap* yw 'ngwreiddiau
A Saesneg ydi'r sgôr.

Jon M. Jones (Tan-y-groes)

MEWN LLYFRGELL

Tawelwch sy'n clecian gan eiriau
Ein mil o flynyddoedd o hud
A thra maen nhw'n dawnsio ar dafod
Ni fydd y tawelwch yn fud.

Arwel Jones (Y Cŵps)

MEWN LLYFRGELL

Mae gen i bennill ymson,
Rwy'n barod nawr i'w ddweud
Ond rheol aur y llyfrgell
Sy'n fy atal i rhag gwneud!

Ceri Wyn Jones (Y Taeogion)

MILFEDDYG

Â'm braich lan tin buwch
Am y milfed tro,
Rwy'n ddom hyd fy sodle
Yn tynnu llo.
Fe es yn filfeddyg
Am y rhesyme gore,
Ond mae'n anodd eu cofio
Am dri y bore.

Eifion Daniels (Beca)

MEWN PRIODAS

Yn yr eglwys rwyf mewn gwewyr,
Priodi wnes y ferch anghywir;
Nid fi wnaeth y camgymeriad –
Llygaid tro oedd gan y 'ffeiriad.

Lyn Ebenezer (*Ffair-rhos*)

WRTH DDERBYN ANRHEG

Bûm wrthi'n rhwygo'r papur
Am dros dri chwarter awr,
'R ôl derbyn efo Santa
Ryw anrheg hynod fawr.
Mae Dad i'w weld yn hapus
Yn adeiladu'r blocs,
A minnau yn bodloni
Ar chwarae efo'r bocs!

Elwyn Breese (*Bro Ddyfi*)

WRTH FODDI
(Dug Clarence, a gafodd ei ladd mewn casgen o win,
yn ôl William Shakespeare)

Rwyf yng ngwaelod y gasgen
Yn ddwfn yn y gwin;
Ond os mai hyn ydi boddi,
Pam na wnes i o'n sicstîn?

Dafydd Williams (*Y Rhelyw*)

PIGION Y TALWRN

MEWN ADUNIAD YSGOL

Wel dyma ni tu ôl i'r sied feiciau
'Mond Jennifer Evans a fi.
Does 'na ddim aduniad swyddogol;
Jyst y ddau ohonon ni.

Les Barker (Cadw'r Ffin)

WRTH GOWNTER

Hyder mewn proffwydi gau,
Banciau'r byd sydd yn prinhau,
A'r dyledion mawr bob amser
Wedi'u cuddio dan y cownter.

Edgar Parry Williams (Manion o'r Mynydd)

MEWN BWYTY

Fe gefais i gynnig lot fawr o ddanteithion
Mewn bwytai amrywiol o Fôn i Fanceinion,
Ond neithiwr yn Aber fe'm synnwyd yn fawr
Rhyw eiliad ar ôl i fi eistedd i lawr.
Daeth gweinydd ffroenuchel draw ataf yn gloi,
A chynnig rhyw fenyw i fi, wnaeth y boi.
Mi wn fod yr oes wedi newid yn arw,
Ond menyw cyn bwyd, wel yn wir, ar fy marw!

Phil Davies (Tal-y-bont)

PIGION Y TALWRN

AR WELY ANGAU

Caf wybod 'mod i'n werthfawr,
Caf wên gan bob un ffrind,
A gwelaf mai lle da yw'r byd
A minnau ar fin mynd.

Mari George (Aberhafren)

MEWN GORSAF

Rwyf yma'n danddaearol,
Uwchben mae Llundain fawr;
Ni wn ai yw hi'n nosi
Ai ynteu'n doriad gwawr;
Mae'r Cymry ers canrifoedd
Yn y dyfnder mwyaf gaed,
Llundain wrth ein pennau
A ninnau dan eu traed.

Hedd Bleddyn (Bro Ddyfi)

WRTH DDILYN CERBYD

Pam mae'n rhaid in deithio'n araf
I bob angladd yn y wlad?
Pam na allan nhw gyflymu
I gael cyrraedd Tŷ ein Tad?
Os yw'r nefoedd yn rhagori
Ar 'holl bethau gwael y llawr',
Pam nad ânt fel cath i gythraul
Er mwyn mynd i'r Gwynfyd Mawr?

Harri Williams (Y Sgwod)

TELYNEGION
A SONEDAU

CYFFRO

Ar gymer tair afon ar derfyn pnawn,
Lle daw'r eogiaid eto ar eu taith,
Caf oedi gyda 'ngwydr hanner llawn
A gwylio'r machlud drwy olygon llaith;
Wrth i'r cysgodion ledu dros y dre',
Ar ambell dŷ, mewn ambell dafarn fud,
Mae cyffro hen ddiwylliant gloyw'r lle
Yn dal i ddal pelydrau'r haul o hyd:
Â'r nos yn cau, gan daenu'i hamdo hi,
Fe welais fflach dan wyneb llwyd y dŵr
A lliw fel blodau'r gwanwyn yn y lli,
Pererin o'r Iwerydd pell, dwi'n siŵr,
Yn dal i gredu rhywsut, â phob llam,
Bod fory rhwng Sant Croix a Notre-Dame.*

Iwan Llwyd (Penrhosgarnedd)

* Dwy eglwys hynafol Kemperlé yn Llydaw – un bob ochr i'r afon.

ARIAN

'Rôl chwarter canrif gwelsom liw
Yr arian ar y cerdyn,
A thros d'ysgwyddau yr oedd aur
Yn fôr o donnau melyn.

Ond nawr 'rôl hanner canrif fer
Yr aur yw ein dathliadau,
Ac erbyn hyn yr arian sydd
Yn addurn ar d'ysgwyddau.

Dai Rees Davies (Ffostrasol)

TRÊN

Dwy flynedd, ac yna gwahanu,
Ac yn y clindarddach cawn i'r
Holl brofiad yn gyllell drwy 'nghalon,
Mynd adra a wnâi'r faciwî.

Ac er i mi'n ddewr ymwroli
Wrth addo 'sgrifennu, mor rhwydd
Y llithrodd drwy 'nghof lawer blwyddyn
Heb nodi milltiroedd ei flwydd.

Na, 'does 'na'r un rheswm arbennig
'Mod i heddiw yn crwydro'r lein
Ar darmac mor llyfn â'r atgofion,
Dim ond bod y tywydd yn ffein.

Gareth Jones (Y Tir Mawr)

TRÊN

Trên fawr oedd yn y Port ym mhum deg saith,
Ac yntau fry'n y signal bocs fel duw
Yn tynnu lifars gloyw i agor taith
Am Dyfi Jyncshyn, Afon Wen a Chriw.
Ar lwybr gyrfa'n Arolygwr bu'n
Rheoli lein y Bermo, Mach, Builth Rôd ...
Gan adael efo'r Mêl ben bore Llun
Â'i gês bach brown am wythnos ar y tro.
Dan fwyell Beeching, i'r ciw dôl – neu waith
Yn dâl am lafur oes ... i ffwrdd yn Stôc!
I'r seiding aeth o – at y rhydu maith
Gan weld hen stêm yn troelli wrth gael smôc;
Ac er bod lein fach newydd ar y stryd
Ni ddaw'r un trên yn ôl o ben draw'r byd.

Eifion Lloyd Jones (Dinbych)

GWRTHOD

Ar drywydd adfeilion
Down o Sadwrn Crucywel
I droedio'r allt,
A'r prynhawn
Fel ninnau'n teimlo'i oed.

Cyrraedd y castell,
A gweld 'mysg ei gerrig llwyd
Haearn a phlastig parc
Yn gweiddi'i goch a glas,
A herio'r hynafiaeth.

Down a darllen
Am gad a gorthrwm,
Gan lygadu'r siglen wag,
Cyn agosáu
A diosg ein degawdau.

Yn ôl a blaen
Ar adain blynyddoedd
Yr awn,
A'r rhyddid yn ein gwthio
Uwch gwaith a gwynegon
At eiliadau o las
Sy'n gynilach.

Ac wrth wisgo'r
Siwmper aeddfed drachefn,
Trown i edrych
Ar y dwylo anwel
Sy'n dal i suo cadwyni'r gwacter,
A'r awel
Yn chwerthin drwy'r dail.

Llion Pryderi Roberts (Aberhafren)

CYMWYNAS

Yn nharan
Yr awr dywylla'
Eisteddaf
Heb siôl
Ar erchwyn gwely
Yn trio mwytho'r nos
A thi yn fy nghôl.

Cesair o elynion
Yn taro'r ffenest,
Yn bygwth ein siarad,
Yn chwarae â'n straeon.

Dy iaith yn ddarnau bach
Wedi eu benthyg
O deledu ac yn bytiau
Ddaeth atat gyda'r gwynt.

Iaith y cymylau ...

Wrth sibrwd hafau o straeon a chlywed dy gyffro
Drwy'r tywyllwch,
Gwnïaf y darnau clwt o eiriau
A rhoddaf iti
Flanced i'w chadw
Drwy bob storm.

Mari George (*Aberhafren*)

LLAW

Ei dwylo saff fu'n dal y sêr
Unwaith, pan oedd amser

Ei hun yn iau a lleuadau'n
Llawn i gyd. Trwy lygaid cau

Gall weld o hyd y nosau, un ac un,
A'u dychmygu'n freuddwydion diddychryn

Ei dyfodol hi, a hwythau'r bysedd
Blysiog, glân yn aros gwledd.

Mae'r llaw hon heno'n dal fy llaw,
A gwelaf hyd-ddi holl brofiadau distaw

Byw, a'r croen blêr, hardd dan siwrwd sêr
Yn sgleinio peth, dim ond peth o'r amser;

A gwn mai'r cydio tynn yw'r nosau'n siarad
Dan ewin, dim ond ewin o leuad.

Dafydd Pritchard (Y Cŵps)

GALLU
(I Robat Osian, fy ŵyr)

Fe'i gwelais
Yn annisgwyl
Trwy'r drws.

Wedi llwyddo i osod ei reilffordd bren
Ddarn wrth ddarn
Yn llwybr newydd
I'w drên bach o.

Dyflwydd ydi o,
Dyflwydd diwyd,

Ar ei fol,
Ar ei ffordd,
Dros y carped cynnes

Tua'r drws ...

Cynan Jones (*Manion o'r Mynydd*)

SICRWYDD

Ar ragolygon Llundain
fe glywodd y byddai'n braf,
cyhoeddwyd y byddai dechrau Mai
yn ddydd o haf.

Felly, â'r dillad wythnos
yn disgwyl bore Llun
fe'i golchodd ac fe'i gwynnodd hwy
â'i llaw ei hun.

Aeth allan, er gweld y cwmwl
yn bygwth y prynhawn
gan fod dyn o Lundain wedi dweud
y byddai'n iawn.

Tudur Dylan Jones (Y Taeogion)

GALLU

Awn a cherdded
Hyd yr un hen hewl bob nos
A gweld
Yr un dadleuon
Yn sleifio drwy ddrysau,
A difaterwch yn cyfarth mewn stafelloedd cefn.

Cerddwn law yn llaw
A'n sgwrs
Yn gysurus
Fel cardigan dros ysgwyddau.

Daw'r glaw,
Ac mi gofiaf,
Am yr un hen hewl
Yn ifanc,
A ni'n dau
Yn y gwair newydd ei dorri,
Dy eiriau yn wead o addewidion
Fel gwybed y nos.

Bryd hynny
Roedd yr hewl
Yn gymaint llyfnach
Yn arwain
Dau gysgod
I'r un lle.

PIGION Y TALWRN

A heno eto
Fe gerddwn
Sha thre
Heibio i'r gerddi
Sy'n grop crin
O berffeithrwydd ...
At henaint
Sy'n sownd mewn llenni poeth
Fel stêm sosbenni ...

A'r cyfle a gollwyd
Yn hongian
O'n blaenau
Yn we pry copyn
Yn y glaw.

Mari George (Aberhafren)

GOFAL

Agorais glwyd y buarth
Ar ôl rhyddhau y tsiaen,
A cherdded tua'r storws
Fel gwnes bob tro o'r blaen.

Ond Bet yr ast groesawgar
Oedd heddiw'n feistres gas:
Ni wyddwn am y dorraid
Yng nghornel y tai mas.

Emyr Davies (Ffostrasol)

CARIAD CYNTAF

Roedd pobol yn edrych
arnom o bell
yn brysio drwy ewyn adnabod.

Ein gweld
yn ddiwyneb
law yn llaw
a'r bwlch rhyngom
yn ddyddiadur
o eiriau newydd.

Hapusrwydd
heb fodd ei gribo,
yn hallt ddiniwed.

Roedden nhw'n adnabod
yr un haf hir o flerwch
fel sgribls pensil
ar gorneli tudalennau.

Ac yn gwybod wrth gwrs
Y pylai'r geiriau
Dan ddeigryn ifanc ...

*   *   *   *

Heddiw
mae gwên rhywun arall
yn cyffwrdd gwallt
a symud sgert.

Yn y glaw
Y daethom ni yn agos.

Er cofio
Am wres arall
Ar war.

Eisteddwn weithiau
Ar fainc yr haul
Yn chwerthin ar gyplau'n dwyn yr haf,
Yn rhedeg mewn a mas o'r môr
Fel cartŵns pensil
Ar gorneli tudalennau.

Mari George (Aberhafren)

CARIAD CYNTAF

Yn nunlle, yn dri-deg-un, ar drên.
Yn aros i'r ddynas flin ddod i gynnig
Paned i gynhesu rhywfaint ar y tywyllwch,
A daeth yr atgof ohonot drwy dwrw'r cledrau.

Y tro cyntaf i ti afael yn fy llaw
A gosod sws yn daclus ar fy nhalcen.

Mor sydyn â'r golau sy'n dallu
Ar derfyn twnnel.

Ac yna daeth y troli a'i grynu
A'i grensian metel i darfu ar y darlun
A diflannaist, unwaith eto, am dipyn.

Casia Wiliam (Waunddyfal)

DOETHINEB

'But I was so much older then –
I'm younger than that now.'

Bob Dylan

Unwaith,
Ni fu i mi amau
Gwirionedd
Gardd Eden a'r Preseb,
Nac ychwaith ryfeddod
Y Bedd Gwag;

Wedyn,
Cofleidiais yn eiddgar
Resymeg
Ddysgedig
Hollti'r atom
A chwilfrydedd datod y DNA;

Bellach,
A minnau'n iau,
Gorweddaf yn eiddil
Yn llonyddwch
Y gofod
Rhwng y ddau.

Cynan Jones (Manion o'r Mynydd)

DOETHINEB

Pan oeddwn fachgen ...
Yn credu'r beibl a'r radio
Am gamp yr hen genedl
Yn trechu'r anghrist
Ym Mhalesteina
Yn chwe deg saith,
Llawenhawn
Yng ngorchest gyfiawn
Y wlad fach rydd
Oedd yn mynnu byw.

Ond pan euthum yn ŵr ...
Gwelais rym y gorllewin
Yn nhrais y gormes
A gwladychu haerllug
Tiroedd y meddiant,
A gwlad yr addewid
Yn dal yn gaeth
I'r hen destament,
Ddant am ddant.

A châr dy gymydog ...
Yn diferu gwaed
Ar fur digofaint
Y ddinas sanctaidd
Sy'n dal i wylo
Am ei phlant.

Eifion Lloyd Jones (Dinbych)

CYMWYNAS

Yn hafau y gorffennol
Un llafur oedd i'r gwaith,
Un ysgwydd wrth y pynnau,
Un bwriad oedd i'r daith.

Un bladur âi trwy'r gwenith
A'i llafn yn wyn a glân;
Un haul yn cael ei estyn;
Un alaw oedd i'r gân.

Un ordd oedd yno'n atsain
Hyd fryn a chraig a ffridd,
Un gofal oedd yn cynnal
Y gwreiddyn yn y pridd.

Un hil yn ymgodymu
Â'r drefn rhwng nef a llawr;
Un ffynnon yno'n glasu
Ym mro'r gymdeithas fawr.

Aled Evans (*Beirdd Myrddin*)

CYMWYNAS

Saif yr orsaf yn llonydd a llachar
O dan warchae'r nos loergan;
Oglau petrol yn ffroenau'r nos.

Y briffordd yn llafn boeth
A gwreichion anghyson
Yn gwibio ar hyd ei hawch
Cyn pellhau, pylu a diflannu
Gan adael dim ond iard ddi-sgwrs
Yng nghanol swildod y moelydd.

Ond tra bo'r lôn yn gwreichioni
Fe wyddom fod taith o hyd inni
Sy'n arwain i'r unlle,
Yr unlle hwn lle cynnull holl
Ddafnau'r goleuni anfoddog
Yn dywyniad mewn dinas.

Llenwi'r tanc;
Chwa fel chwyth megin
Yn llosgi'n bochau.

A heno, pan wreichionwn ninnau i'r pair,
Bydd llanast y llawr,
Y sbwriel, y papurach chwâl,
Gwaddod parhaus y tir hwn,
Yn ddigon inni gydio nes taflu
Un wawl oren tros genedl eirias.

Osian Rhys Jones (Y Glêr)

LLWYBR

Mae'r lôn na ddilynais yn cymell o hyd
A'i glesni'n addewid, fel dalen
Ddieiriau, yn irder sy'n fyd
I'w ganfod a'i droedio ag awen.

Mae persawr ei blodau'n bryfoclyd fel gwin,
Yn cosi fy ffroenau'n synhwyrus,
Yn edliw fy swildod, fy nhynnu at ffin
Sy'n antur, yn her yr anhysbys.

Y lôn na ddilynais! Fe ddof ati hi
Ar wadnau prynhawniau hydrefol,
Ond er ei hatyniad troi'n ôl a wnaf i
At gysur rhigolau cartrefol.

Annes Glynn (Howgets)

CAMP

Dawn yn glir ar ddalen,
Crebwyll ymhleth â chystrawen
Yn creu byd hud o eiriau
Sy'n denu fel cusanau.
Mae'n wâr, mae'n wych, mae'n wreiddiol,
Crefft fel petai'n naturiol
A phawb ohonom yn dotio.
Ond yn ei gwmni heno
Gwn fod rhwng ei linellau
Remp na allaf ei faddau.

Sian Northey (Y Tywysogion)

SIOM

Neithiwr yn Aberystwyth
Codais ffenest y gwesty
Er mwyn rhannu'r noson
Â hen rwnan y môr y tu draw i'r prom,
Yn sugno cerrig drwy ddannedd ei donnau,
Y llanw yn troi a'r lleuad yn ei lywio.

Agorais yr amlen a gawswn gan dy weddw,
Anwylo'r papur a dechrau darllen dy waith
Sy'n fyw-farw, fel cydun o wallt rhwng cloriau llyfr,

A chlywn dy lais drachefn, yn gymysg â'r môr;
Geiriau'r mynydd wedi'u hwsmona'n ofalus;
Profiadau'r ddinas yng nghorlannau dy gerddi.

A rhannwn breifatrwydd y creu,
Dy lawysgrifen yn cyrlio cywiriadau brwd
O gwmpas y teipysgrif, ail-fyw dy syniadau,

Cyn deffro dan olau trydan yr oriau mân
Yn nofio'n syfrdan mewn cerddi,
Yn boddi mewn absenoldeb
A'r môr wedi cilio ar hyd y traeth.

Ifor ap Glyn (Caernarfon)

SIOM

Rhwng dwyffordd mae fy newis – y ffordd wyllt
Dros fynydd yr ehedydd, ffordd heb ffens
Lle bydd y machlud, mawn a chreigiau'r myllt
Ac enwau'r hen hafotai yn gwneud sens;
Neu ffordd y glannau: ffordd sy'n glynu'n ddof
Wrth fastiau ffôn; mor ddiflas yn fy mhen
Yw llyfnder ffrwd darmác ddi-dwll, ddi-gof
Dan oleuadau oren uwch lein wen.
Drwy 'Sbyty, dros y Migneint, aiff y fan
A sŵn y tynnu i fyny, ambell glec
Drwy olion rhew, sydd fel cymêrs y llan
A'u chwerthin; nes bu'n rhaid cael stop, cael sbec
Ar olwyn fflat mewn lle heb ddim ond bref
Druenus dafad sydd ymhell o dref.

Myrddin ap Dafydd (*Y Tir Mawr*)

CYSUR

Pan fyddo'r storm yn taro
   Yn syth at galon dyn,
Oferedd ydyw chwilio
   Ei enaid ef ei hun.

Nid yw mewn geiriau didwyll
   Na'r cydalaru llwyr,
Ond mae mewn gair nas dwedwyd
   Gan lygaid un a ŵyr.

Ken Griffiths (*Tan-y-groes*)

CWMNI

Mae tri o fois yn browlan
A brolio yn eu tro,
A'r bar yn gorfod diodde'u
Doethineb unweth 'to,
Pan draethant am y byd a'i gwrs
Gan ddweud eu dweud heb gynnal sgwrs.

Mae tri hen ŵr yn ishte
Mewn cornel tywyll, clyd,
Tri distaw o'r un ddeall
Yn drachtio cwrs y byd,
Gan ddod ynghyd heb ffws na ffair
I gynnal sgwrs heb ddweud un gair.

Ceri Wyn Jones (Y Taeogion)

GWRTHOD

Torrwyd dy enw'n ddu
Ar bamffled.

Daeth sgidiau gorau
I wichian cydymdeimlad
Dros garreg y drws,
Y glaw i gydio'n dawel
Yn llewys
Yr arogleuon
A galar
I gerfio wynebau cyfarwydd
O'm cwmpas.

Er hyn ...

... do'n i
Ddim wir yna.

Dim ond wedyn
Wrth i lafant sibrwd
Rhwng bysedd,
Wrth i fiwsig
Cryg fan hufen iâ
Arafu drwy'r glaw
Ac wrth i adar
Ddechrau nythu eto,

Y gwelais dy eisiau

A'm gwadu'n
Taro'r gwydr.

Dyna pryd es i nôl
Drwy'r gwair tamp
I gapel o golled
A'm breichiau'n llawn.

Mari George (Aberhafren)

CAEL

Un foment
Berig felys
Yn nhir neb yr arddegau

Un foment
Wedi dyddiau
O birwét prifiant

Ysgwydd yn cyffwrdd ysgwydd
A'r trydan yn eu glynu
Ac yn torri'r ias

Braich yn clymu braich
A dwy law yn darganfod ei gilydd
Yn y gofod gwyryfol
Rhwng dau

Dim gair
Dim geiriau
Dim ond gwên ei llygaid
Yn sibrwd 'cei'.

Cynan Jones (Manion o'r Mynydd)

LLAW

Wrth ddianc rhag y bregeth
Gwyliaf fy mysedd
Llonydd
A stori o gledr
Fu mor barod
I gwrdd â chledr arall...

Daw'r awydd eto i ddilyn
Llwybrau'r sêt fawr a gerfiwyd
Gan geiniogau poeth.

Rhwng stêm ein cinio Sul
Ac awyr oer bore Llun,
Byddai'r bregeth yn dal i guro
Fel nodyn ar ôl nodyn
Ar biano blinedig.

Gwario'r casgliad
Yn y ffair,
Estyn llaw dan drwyn sipsi
A gweld y byd
Yn y rhychau llyfn.

Nes gweld
Cywilydd yn llwch ar ffenestri lliw
A phob llwybr yn fy arwain yn ôl
I'r fan hyn.

Ond mae'r llyfr emynau
Yn dal yn drwm
Rhwng bys a bawd,
A phan ddaw'r tawelwch i beswch drwy'r lle
A phawb i blygu pen,
Daw un llaw i gyffwrdd â'r llall
A gwasgu'r weddi'n ddim.

Mari George (Aberhafren)

CYSUR

Mae alaw pan ddistawo
Yn mynnu canu'n y co'.

Dic Jones

Tra bo amaethwyr yn y perci'n hau
Bydd hen Wanwynau mud yn adfywhau,

Ym mro Blaen-porth bydd melodïau môr
Y trai a'r llanw eto'n chwyddo'n gôr,

Bydd yno ddarn o'i fiwsig ef ei hun
I'w glywed yn y sgwrs rhwng dyn a dyn

A'r rhai ar ôl gaiff drafod gylch y bwrdd
Yn sŵn y gân nad ydyw'n mynd i ffwrdd.

Idris Reynolds (Crannog)

URDDAS

Roedd drudwns llwyni'r eglwys braidd yn ewn,
A'r heulwen yn fwy llachar nag oedd rhaid,
Fel 'taen nhw'n dyall y dwyster oddi mewn,
A'r brain gerllaw yn gwatwar yn ddi-baid.
Dyn dierth a ddarllenai'r 'gair neu ddau',
A'r emyn dôn yn ddierth i bob un;
Fe grynai'r deyrnged weithiau drwy'r coffáu
Ar ddalen oedd yn crynodebu'r dyn.
Wrth iet yr eglwys, y tu ôl i'r arch
Fe ddaeth y wraig a'i gorchwyl wedi'i wneud
Heb gynnal sioe, heb geisio cymell parch,
Gan ddwedyd dim am nad oedd dim i'w ddweud.
Ar erchwyn ein diddymdra, rhaid wrth drefn,
Fel gallom glywed trydar Mai drachefn.

Emyr Davies (*Y Taeogion*)

PERTHYN
(I 'nhad)

I beth yr ymbalfalaf am dy nabod
    A thithau'n ddim i mi ond llun mewn ffrâm?
    A'th fyw
    Yn ddim ond cysgodion mewn caddug
    Yng nghilfachau atgofion
    Y rhai a gydgerddodd â thi.

I beth y ceisiaf ddeall?
    Ni all atgofion benthyg
    Osod fy llaw yn dy law dithau,
    Na llonyddwch llun roi ias y perthyn i ni'n dau.

Ond, ym mhellter y blynyddoedd,
    Gwn i mi dy nabod unwaith,
    Ac i tithau fy nabod innau'n dda.

                  Terwyn Tomos (Glannau Teifi)

PERTHYN

(Pan oedd CADW yn chwilio am 'ofalwr' i Gastell Dolbadarn,
doedd dim sôn am yr angen i allu siarad Cymraeg yn yr hysbyseb)

Mae angen Porthor i warchod y tŵr
A chadw'r hen le yn daclus a glân
Ac i gadw trefn ar gysgodion dŵr
Padarn a Pheris heb gynnau'r un tân.
Mae angen Porthor ar ein 'castell ni'
Wrth ymyl Cwm Eilir, yng ngolwg y Nant;
Gwneud pethau'n haws i'r ymwelydd a'i gi,
Gwneud yn siŵr fod y llwybrau'n addas i blant.
Mae angen Porthor sy'n gwybod yn iawn
Am grefft yr enciliwr nad yw'n gwneud ffŷs
Un sydd yn cydnabod cynildeb fel dawn
Wrth weld fflyd arall yn camu o'u bỳs;
Sy'n gwybod ei le yn wyneb pob rheg,
Rhaid wrth Borthor nad yw'n agor ei geg.

Dafydd John Pritchard (Y Cŵps)

118

CHWERTHIN
(Mewn maes awyr)

Ei düwch a welais i,
Y fam Islamaidd,
Yn ceisio diddanu'r plant
Am ddwyawr arall
Yng ngwres y stafell aros.

Ni wyddwn ei hiaith
Na'i chenedl
Dim ond mai du
Oedd ei gwisg,
Gweld dau lygad tywyll
Trwy'r rhwyg ym mhenwisg ei *burqa*.

Roedd y lle fel Babel
A'r byd i gyd
Yn aros am alwad
I fynd trwy eu hadwy eu hunain
A dianc o'r diwedd;
A hithau, a'i phaciau a'i ffydd
Yn amyneddgar
Ddisgwylgar
Gaeth.

Ond wrth i mi gyboli â'r plant
Gwelais y ll'gadau'n
Chwerthin.

    Cynan Jones (*Manion o'r Mynydd*)

DODREFNYN

Mae'n hwylio'r bwrdd at ginio,
'Mi ddôn nhw gyda hyn',
Mae'n estyn am y bara,
Mae'n c'nesu'r dysglia gwyn.

Fe gwyd i sbïo wedyn
Trwy ddrws y gegin gefn,
Ond does neb wedi cyrraedd,
Mae'n dechrau dweud y drefn.

Draw wrth glawdd y mynydd
Ni wêl ddim ond y brain
A sypyn o wlân rhyw famog
Ymhleth ym mrigau'r drain.

Mae'r dydd yn tynnu ato,
Glaw mân yng nghwyn y gwynt,
Mae hithau'n dal i chwilio
Am rith o'r dyddiau gynt.

Mae'n clirio'r bwrdd yn araf,
'Mi ddôn nhw gyda hyn',
Mae'n lapio'r dorth tan fory,
Mae'n cadw'r dysglia gwyn.

Haf Llewelyn (*Penllyn*)

CYFARFOD

Cyfaddefodd ddoe ei fod yn cofio
Fy nghyfarfod,
Cofio fy mreichled las
A'r dafarn yn llawn o fwg.
Steddfod arall yn dirwyn i ben
A'r ennyd yna, medda fo,
Fel llun mewn ffrâm.

Dwi'n cofio'r noson
A'r mwd yn sychu ar odra'n jîns,
Cofio criw yn trafod drama wael
A bwyta caws.
Ond cyfaddefais ddoe,
A ninna'n ganol oed mewn adlen,
Nad oeddwn yn cofio ei gyfarfod
Erioed.

Sian Northey (Y Moelwyn)

GORWEL

Rhywle yn fan'cw ar fôr dychymyg
Tu hwnt i afael emosiynau ffyrnig
Rhyw gerdd sy'n stwyrian, mae'r geiriau'n styfnig;

Yn rhy styfnig. Ym mrig y tonnau
Eu gweld nhw'n codi, gostwng, diflannu weithiau,
Yn boddi fallai hwnt i'r ymchwyddiadau;

Yn rhy bell i'w cyffwrdd, rhy amwys i'w nabod
Na'u cystrawennu. Ond yn sŵn gwylanod
Y mae blas yr heli yn hallt ar dafod,

A phawb ym myd eu prysurdeb yn pasio,
A'u cotiau'n dynn, fel cysgodion heibio
I synfyfyrion stond yr un fynnodd stopio ...

A rhywle rhwng fan'cw a'r gwynt a'i rethreg
Yn chwip ar wyneb, a diferion aestheteg,
Yn ochenaid rhyw don fe ildir telyneg.

Dafydd John Pritchard (*Y Cŵps*)

CYMUNED

Mae'r pentref yn dal yno
Yn glyd wrth droed y bryn;
Ddaw'r un ymwelydd heibio
Na chynnydd i fan hyn.

Mae'n bictiwr, wir, yn batrwm,
Yn ticio pob un blwch;
Brogarwch glew yw'r cwlwm
Sy'n clymu pawb drwy'r trwch.

Na, chododd neb ei olwg
Tu hwnt i ffrâm y llun
Llawn arbenigwyr amlwg
Ar ei fogail bach ei hun.

Cymuned glòs a bodlon
Lle mae geiriau, o mor rhad;
Heb fagu ias na chalon
I fynnu bod yn wlad.

Meg Elis (Cadw'r Ffin)

GWRTHOD

Af adre weithiau ar ddydd Sul,
Drwy'r coed afalau
A sawr atgofion
Yn chwythu'n fachlud hyd y caeau.

Gwylio fy rhieni yn gosod eu cariad
Yn saff
Mewn basgedi ...

Af gyda nhw i'r capel
I rwgnach hyd y lloriau pren,
A chlywed fy adnod, eto,
Yn rholio dan y sêt
A'r gwadu'n glynu'n brint
Ar gledr boeth ...

Sgwrs amser te yn cael ei thaenu
Dros bastai 'falau a bara jam a thebot
A'm styfnigrwydd
Yn friwsion dros liain glân.

Ysaf am y dydd
Pan na fydd dim ond eco'r llwch
Yn sibrwd o'r lloriau pren
Ac y bydd y bwrdd diliain
Yn gylchoedd te
A onestrwydd.

Ysaf i weld y basgedi'n
Wag o drefn
A phryd hynny y byddaf i
Yn chwilio fy llwybr fy hun
Yn wenynen o feddw
Trwy'r gwair hir
Rhwng yr afalau chwâl.

Ond gwn y trof yn ôl,
Er gwaetha' popeth,
A chodi ambell afal i'm côl.

Mari George (Aberhafren)

GWRTHOD

Na, Taff, chymera' i mo dy bapur sglein
Yn denu 'mhlant am swae i mewn i'r tanc
Sy'n pwyntio'i fys recriwtio i lawr y lein;
Dwi'n hidio dim am swagar sgwodis, llanc.
Be' mae dy ddillad martsio'n da fan hyn
Ar faes y Sioe? Pwy na fedrodd gofio'n glir
Ei bod hi'n gyson wedi bod yn dynn
Rhwng ffarmwrs a dy leng ynglŷn â thir?
Brifodd fy 'Na' y llygaid pymtheg oed
O dan y cap, a chefais gip ar hwn,
Y 'ffrind poblogaidd', 'hogyn gora' rioed'
Fel dwed pob teyrnged goffa ar faes y gwn.
O dan y lifrai, gwelaf fab a brawd
A gweld mor hawdd i'w gleisio ydi cnawd.

Myrddin ap Dafydd (Y Tir Mawr)

PENTREF
(Llangrannog yn y gwanwyn)

Heddiw
Gwelais y gwanwyn
Yn daclus
Heb bêl yn agos
I sgwaryd clecs y dail.

Cerddais hyd glogwyni
A chlywed cân y gwersyll
Yn hofran dros dro
Uwch Lochtyn ...

Drws tŷ yn gwichian,
A chwpwl crwm
Yn sgwrio'r gaeaf yn hamddenol
Oddi ar eu trothwy diarth.

Dof yn ôl.
Dof yn ôl â'm plant
I fyw stori
Cwm Tydu,
Cwrso geiriau
Mewn ogofâu
A'r dyfodol yn draeth.

Heno,
Mae fy straeon eithin gwyllt,
Yn staen ar ffenest.
Rwy'n poeri fy iaith
Ddyrys
At wynebau poléit
Fydd yn aros
Trwy'r gloch olaf.
Unig wyf
Ar stepen oer
Yn rhannu ffag gyda'r gwynt,
Yn gweiddi geiriau
Mewn cragen
Am fod y machlud wedi ei brynu
A'r dyfodol yn dywodyn.

Dof yn ôl.
Dof yn ôl
Drwy'r broc môr
I fagu, i fyw
Efallai ...

Mari George (Aberhafren)

GWOBR

'A'r enillydd yw ...'

Yr un all weld
Y tu hwnt
I frwdfrydedd undydd y dorf,
Sioe Pafiliwn,
Sylw gwresog y Wasg,
I neuadd ddiawen yr olwg
Yng ngwyll y mis bach
A'r gaea'n drwch.

Criw bychan yn disgwyl amdani
A chân ei cherddi.
Rhannu profiad,
Panad,
A'r diolchiadau'n gynnil, ddi-lol.

Ar gychwyn adre
A daw un â'i chyfrol ac ôl bodio arni
i'w llofnodi.
'Mi fu'n lot o gysur imi.
Teimlo'ch bod chi wedi 'nallt i.'

Y cyffwrdd swil
Mor gynnes â sofren ar gledr ei llaw,
Yn werthfawrocach
Nag unrhyw Goron.

Annes Glynn (Howgets)

GWOBR

Roedd distiau beudy'r Aber
Yn llawn rhubannau.
Tair neu bedair enfys sidan
Yn dyst
O hafau a hafau crwn
O gylchoedd sioe.
Y rhai pella'n drwch o lwch a gwe
A thlysau 'leni'n lân a ffres.
A thanynt y gwartheg duon
Yn rhes,
Yn cnoi eu cil,
Llinach fel cadwyn nionod,
Pob un ar aerwy.

A chefais innau fy rhwymo rhywsut
Yn chwarae yno,
Yn sgwrsio.
Rhywle ynof mae rhubannau.
Dwi ar fy ennill.

Sian Northey (*Y Tywysogion*)

FFLAM

('... angerdd pob fflam ... yn lludw llwyd')

Crynai fflam
Un o ganhwyllau'r allor,
Mor nerfus â Maria
Yn ei gwisg laes wen,
Wrth iddi gamu'n araf
Dan gangau'r palmwydd
At groeso Iesws
Ar Sul y Blodau.

Ond Sul y Pasg,
Nid oedd na channwyll nac allor
Yn L'Aquila,
Dim ond gwisg laes wen
Yn crynu mewn bedd gwag –
Ei hamdo'n groeso i Iesws,
Os daw hi o hyd iddo
Dan ludw'r rwbel.

Eifion Lloyd Jones (*Dinbych*)

ADDEWID

Roedd y pnawn dydd Gwener yn grochlefain brain
Yn ddu dros y ddinas; a choron ddrain

Yn ben ar y mwdwl. Roedd pyllau heb geulo,
Picelli gan filwyr a gwaed ar eu dwylo.

Roedd yno dorfeydd â lladd yn eu llygaid,
A'u geiriau cerrig yn llabyddio pob enaid.

Roedd yno dywyllwch a lyncodd y byd
A delwau yn cuddio ar gornel pob stryd.

Mae heddiw dawelwch a bore newydd
A merched yn wylo a chwilio'n y bronnydd,

Gan lusgo godre eu dillad drwy'r gwlith
Heibio i rywun oedd rywsut ond rhith

Yng ngornel eithaf eu llygaid llaith ...
I ganol amheuon daeth heddiw â'r ffaith

I'r rhain, trwy eu dargau, weld maen wedi'i dreiglo
A'r ogof mor wag gan yr un nad oedd yno.

Dafydd John Pritchard (*Y Cŵps*)

GWAITH

Mae ar ei ffordd i'r swyddfa'n
rhyw hanner ar ddi-hun,
'run lôn, a'r un hen gerbyd,
ac ar ei ben ei hun
yn teimlo unwaith eto
ddiflastod bore Llun.

Mewn mis, a drysau'r swyddfa
yn cau o un i un,
mae'r gweithiwr yn ei gartref
ac ar ei ben ei hun
mewn hiraeth am gael teimlo
diflastod bore Llun.

Tudur Dylan Jones (Y Taeogion)

PERSAWR

Mae'r tŷ o'r ffrynt i'r cefen
Yn wag o'r shang-di-fang,
Y celfi wedi'u llwytho
A'r lori dan ei sang.

Wrth hel rhai trugareddau
A chydio yn y siôl
Am eiliad fe ail-lanwyd
Hen gartref eto'n ôl.

Hywel Rees (Crannog)

GWRTHOD

Ar ôl anrhegu'i baban
i arall lond ei siôl
fe gaeodd ddrws ei ch'wilydd
yn glep, heb edrych nôl.

Ychydig a wyddai'r bychan
y byddai'r drws a roes
y glep yn nyddiau'i febyd
yn glep ar hyd ei oes.

Mari Lisa (Y Garfan)

GWENWYN

Yn nrama'r holl ganrifoedd
a'r mynych fynd a dod,
ceir sôn am rywogaethau
nad ydynt mwy yn bod.

Ond ers ei llwyfan cyntaf
yn stori dechrau'r byd,
fe ddeil y sarff i lygru'n
bywydau ni o hyd.

John Pinion Jones (Ffostrasol)

CYMOD

Taflwn ddyrnau'n
Sarhad,
Poeri'n llid,
Hyrddio beiau,
Gwirioneddau
Yn gawod am glustiau.

Adnabod
Yn fin ar ein cyllyll
Sy'n torri i'r byw.

Wedi i'r llwch setlo'n
Gymylau hallt;
Ysgwyd llaw lipa,
A chysgod du ein geiriau
Yn gleisiau yn y cof.

Nia Môn (Criw'r Ship)

GADAEL
(Cadw'r trimins)

Bregus ydynt
– Glychau bach y 'Dolig,
Fe'u codaf
O'r canghennau gwyw
Yn dringar
Rhwng bys a bawd –
Fel wyau bychain cain.

Codaf un at oleuni'r calan,
A gweled ynddi
Adlewyrchiad meddal
Yr eira dilychwin.

Lapiaf ei sglein yn saff
Dan haen o bapur sidan
I'w dadlapio rhyw dro efallai –
Mor hawdd ei chleisio,
Mor frau ei phlisgyn.

A thrwy rew y gwydr
Gwelaf olion traed
Yn sathru budreddi'r pridd
Yn friwiau llidiog
Hyd wyneb yr eira.

Haf Llewelyn (Penllyn)

TROTHWY

Brasys yn sgleinio'n ddi-ffael
Pan steddwn ar y rhiniog
Yn ista, gwenu efo 'Nhad
I awdur y sglein gael cymryd llun.

Camu'n ifanc, ddi-feind dros y gloywder
Adeg achub y byd
Pan oedd pethau pwysicach na pholish
A chadw tŷ.

Cario'r plant yn garcus i'r tŷ
I gyfarch Nain
A gweld golau ei gofal
Yn sgleinio'n eu llygaid hwythau.

Camu, yn nain fy hun, dros yr un trothwy
Yn arafach fy nghamau
Ond yr un mor sicr
O sglein ei chariad.

Meg Elis (Cadw'r Ffin)

TROTHWY

(I gofio Bob Davies, adeiladwr, gan gynnwys ein tŷ ni,
a threfnydd angladdau, gan gynnwys ei un ei hun)

Wrth groesi'r trothwy acw, fe fydd llu
Yn dotio at fanylder crefft ei law
Sy'n tystio i'r ymroddiad llwyr a fu
Ym mhob cymwynas fach a di-ben-draw;
Yn wylaidd gadarn, yn fonheddig fud
Wrth agor sylfaen ac wrth agor bedd,
A dafnau o ddoethineb hen y byd
Ym mwynder dwys ei lais, ei gam a'i hedd.
Er ymgeleddu'i wraig drwy'i gwaeledd blin,
Bu'n rhaid gwahanu'n oerfel y mis bach,
Ond llwynog oedd yr haul drwy'r haf ar fin
Y cancr a ddaeth i reibio dyn mor iach,
A'i lusgo yntau'n unig tua'r tân
Sy'n ysu i uno'r ddau oedd ar wahân.

Eifion Lloyd Jones (Dinbych)

RHINIOG

Brasgamodd drwy'r dderbynfa, adar bach
Newyddion da yn canu yn ei phen,
Y profion drosodd, hithau drwyddi'n iach
Er gwaethaf un agoriad cul o'r llen.
Drwy'r drws mawr crwn – heb lai na sylwi bod
Y paraméd yn hync, yr un sy'n gwthio'i
Ffordd i mewn ar frys. Ond roedd ei rhod
Yn troi; roedd camu dros y trothwy'n gyffro.
O flaen yr adran cleifion dyddiol: siwt
Yn gorwedd ar ei wyneb mewn pwll glaw,
Y bochau'n las a stond ac anterliwt
O staff ysbyty yno'n rhoi help llaw.
Doedd dim y medrai'i wneud ond mynd 'naill du
A chwilio am oriadau'i char a'i thŷ.

Myrddin ap Dafydd (*Y Tir Mawr*)

RHINIOG
(Cyfandir Affrica)

Do, buom yno'n
Addysgu'r brodorion,
Eu swcro a'u dofi
A'u troi'n Gristnogion.

Eu dysgu am werthoedd,
Eu dilyn a'u deall
Yn bobl oddefgar
Sy'n troi y foch arall.

Do, buom yno,
Y blaidd yng ngwisg dafad,
Yn mynnu dy groesi
Yn enw gwareiddiad.

Ann Fychan (Bro Ddyfi)

AWR

Mae'n noson oer o Fai,
Ond mae'n rhaid mynnu'r haf
Pob gafael y dyddiau hyn.

Down i gasglu'r broc sy'n brin ar draeth,
I gynnau a chynnal tân
Yn nhŷ unnos ein sgwrs a'n cân.

Cawn glywed y tonnau'n ysgafn
A theimlo'r cwrw'n drwm
O dan garthen o wres myglyd;
Ond clywn ni bob un coedyn
Yn crensian ei ddannedd yn ddim
Wrth hollti'n y fflamau melyn.

Ac wedi'r nos bydd golosg i'w weld
A'i olion llugoer, llwyd,
Tros raean mân y tywod mawr;
Gwylanod yn trywanu caniau gweigion
Ger y lludw fu'n hir ymaros yr awr
Y daw'r un lli hallt i'w oeri'n llwyr.

Osian Rhys Jones (Y Glêr)

AWR

Oedi
Ar orwel amser
Wrth i awel Awst
Gosi cynnwrf canol oed.

Gorffwys
Yn symffoni'r swigod dŵr
Yn cogran rhwng y gro mân –
Ac anwesu eu parabl.

Aros
Uwchben y drych grisial
Sy'n byrlymu'n galeidosgop o luniau.

Goglais atgofion o'r pyllau dyfn –
A'u cofleidio –
Cyn ffrwydro'n berlau
Yng nghrych y tonnau.

Yna deffro
Yn llif yr eiliadau
Sy'n troelli tua'r traeth.

Phyllis Evans (Manion o'r Mynydd)

TAITH

(Yn nhrefi Gogledd Iwerddon mae ymylon y palmentydd wedi
eu paentio'n wyrdd, oren a gwyn yn yr ardaloedd Gweriniaethol
ac yn goch, glas a gwyn yn yr ardaloedd Teyrngarol.)

Dwy esgid ddu o dan lifrai tywyll yn disgwyl
I ruthr bywyd a thraffig hanes
Adael iddynt gymryd cam i'r tarmac du
A chroesi'r llinell wen.
Mae croesi'r ffordd fel croesi ffin.
Taith fer ond siwrne hir
Rhwng bröydd eu dinas.
Strydoedd wedi'u hollti a'u herydu
Gan gasineb y canrifoedd.
Un ddinas a'r un Duw,
Un acen a'r un hanes
Ond gwahanol haneswyr.
Wedi croesi,
Yr un yw'r cwynion
Sy'n disgyn fel glaw mân
I grychiadau pob talcen;
Er bod lliwiau'r palmentydd yn wahanol.

Phil Thomas (*Tal-y-bont*)

GWARTH
(Cyflawnodd ffrind i mi hunanladdiad ar ôl
mynd i ddyledion)

Mae banciau'n toddi'n dyrau gwêr,
Mae biliau'n cronni'n bentwr blêr;
Mae pawb mewn dyled dan y sêr.

Mae'r byd a'i gredyd gwyllt o'i go',
Mae llog yn prynu hwyl dros dro;
Mae benthyg yn ei fwyta fo.

Mae un dyn bach am fynd o'r byd,
Mae'i gwymp a'i gwest yn stori'r stryd:
Bu'r gost o fyw yn fwrn cyhyd.

Karen Owen (Y Rhelyw)

CERYDD

Ar ganiad y gloch,
Croesawyd clwyd y buarth gan wenau llydain,
A bwrlwm yr antur yn llenwi diniweidrwydd eu llygaid.
Llaciodd y gafael gwarchodol,
Â'u hancesi gwynion
Yn chwifio dagrau'r gwahanu.

Tu ôl i lenni myglyd, llusgodd oriau'r aros
Fel cleisiau'r fagddu
Yn absenoldeb y reffarî bach;
Yntau, bellach, yn ddiogel mewn hafan
Dros dro.

Yn niwl y mwg, anadlodd y fam ei gwewyr
Yn dawel, ofnus yng nghornel ei gwarth,
a'i chymar yn cicio'i sodlau yng nghwter ei bechodau.

Rhuthrodd haid fyrlymus o gyw-newyddiadurwyr
yn barabl o brofiadau
gan syrthio'n flinedig i fynwesau croesawgar –
pob un â chlust i wrando.

Ni sylwodd neb ar unigedd un bach
Fu'n cyndyn adael ei nodded –
Ei figyrnau gwynion yn grynion, grynedig
Wrth aros am y rhai oedd â'u beichiau'n rhy drwm i'w anwesu.

Menna Medi (Criw'r Ship)

CWMNI

Rwy'n eu hadnabod yn dda
Erbyn hyn,
Fy ffrindiau o bell;
Maent yma bob Dydd Mercher –
Fel finnau,
Does fawr o gysur mewn cragen o dŷ
Oer,
Unig;
Rhyw baned bach cynnes
Wrth y bwrdd canol,
Ac yno, yn ddiarwybod iddynt,
Dof i'w hadnabod yn well.

Nid edrychant ddwywaith
Ar wreigan wag-ei-bywyd
Yng nghanol
Bwrlwm eu sgyrsiau a'u bywydau
Llawn.
Mae enwau eu gwŷr,
Eu plant
A'u hanturiaethau
Yn bwydo darluniau'r
Dychymyg,
Daw eu dyheadau hwy yn ddyheadau
I mi,
A'u blinderau i lenwi
Fy nyddiau gweigion.

Ann Fychan (Bro Ddyfi)

DEALL

Heddiw
Mor wag yw'n caffi ni.
Dim ond dau löyn byw
Yn caru mewn cylchoedd
Yn y golau.

Syllwn ar lwyau glân ar liain plastig
A gweld ein ddoe yn syllu'n ôl
Wyneb i waered.

Cofiaf fel y dawnsiai ein llygaid ni
Yn nyddiau
Gwybod y cyfan.

Dyddiau heb 'sgidiau,
Heb oriawr
Nac amser cau ...

Ond heddiw,
A'n llygaid yn gwisgo siwtiau,
Rhyngom nid oes ond sibrwd dall
Am hwn a'r llall
Sy'n clatsio heibio
A'r glöynnod yn taro'r gwydr.

Rwy'n chwilio amdanaf
Yn dy lygaid
Ac am eiliad dw i yno
Ond
Dw i'n gweld fy hun
Yn codi
A cherdded
Drwy'r atgofion.

Mari George (Aberhafren)

DEALL

Mae ganddi flwch, ac ynddo'n haen ar haen
Fe orwedd geiriau'i garu o'n ddi-staen,
Yn dawnsio'n llafar i alawon hardd,
Yn pefrio'n eofn â brwdfrydedd bardd.

Mae'i eiriau'n brin fel perlau erbyn hyn,
Brawddegau'n cloffi'n flêr, yn glymau tynn,
Ond er y seibiau hir a'i dafod gwyw
Gall hi ddehongli ei farddoniaeth fyw.

Annes Glynn (Howgets)

CRWYDRO

Iddewes oedd y trefnydd âi â ni
Yn ôl a blaen drwy warchodfeydd y ffin
O'r deml aur i Fethlem dre; rhôi fri
Ar gadw ar y rêls – ni châi rwtîn
Y milwyr ffrwyno'r angen i wneud gwaith
Y sioe Nadolig, er na lithrai'r lens
I gynnwys lluniau tŵr y gynnau chwaith
Uwch sgwâr y stabal: rhaid i'r 'hedd' wneud sens.
'Di-blan yw'r Palestiniaid,' meddai – map
Ar glun a watsh ar arddwrn, yn llawn gras
Tra ffilmiem fugail âi â'i braidd ar hap
Fan hyn, fan draw ar ôl y blewyn glas.
'Llys Herod!' traethodd, pan ddaethom 'nôl i'w threfn ...
Ymlwybrodd yr holl oesau'n ôl drachefn.

Myrddin ap Dafydd (*Y Tir Mawr*)

CRWYDRO

Eisteddai â'i gof yn pallu
Yn sgwrsio ag ef ei hun,
A mynd dros ddoe'r hen lwybrau
A'i eiriau'n lliwio'r llun,
Ac wrth ei ymyl, gyfaill
Yn hanner ar ddi-hun ...

... A hwnnw, heb agor llygad
Na chodi'i ben ychwaith,
Oedd eto'n gweld y cyfan
A nabod pob cam o'r daith;
Ni ddwedai ddim, ond dilyn
Gyda gwên, a llygad llaith.

Tudur Dylan Jones (Y Taeogion)

PRIS

Fe fyddaf 'leni eto
Â rhestr hyd fy mraich,
A llwythi o ddanteithion
Dan fy ngheseiliau'n faich,
Y cardiau credyd 'r un mor drwm,
A'r cyfri banc yn wagle llwm.

Fe wariaf, ac fe wariaf
Fel pe na bai 'fory'n bod,
A'r 'Dolig gorau eto
Fel arfer fydd fy nod,
A gwelaf trwy y biliau i gyd
Fod Iesu wedi costio'n ddrud.

Ann Fychan (Bro Ddyfi)

PRIS

Prin yw'r haul yng Nghymru;
Daethom i dderbyn y glaw, a'r niwl,
Yn llestair annatod ohonom,
I feddalu ffiniau
A chuddio'r ffordd ymlaen.

Gwelsom,
Drwy'r cawodydd a'r caddug,
Ddydd a nos yn toddi i'w gilydd,
A'r awyr yn dadmer y gorwel
I'r mwrllwch.

Weithiau,
Cawn flasu'r haul,
A diflanna aneglurder ein gweld
I'r ffosydd
Ar gyrion cadernid y llwybr.

Ond,
Gyda'r haul,
Daw'r cysgodion
I gydgerdded â ni.

Terwyn Tomos (Preselau)

CADW

Y mae muriau
Na fynnem eu hailgodi,
Lle gorwedd sgerbydau
Cyfrinachau ddoe.

Y mae muriau
Na fynnem i'r estron
Droedio a'i gamau
O ddifrawder.

Y mae muriau
Na fynnem i lygaid
Y rhythu sarhaus
Ddinoethi eu clwyfau.

Rhowch lonydd i'r cerrig
Anwylo'u gorffennol
Dan urddas eu hamwisg
O gen cyntefig.

Hwynt-hwy yw'r colofnau
Sy'n gwarchod peth cyfrin
Y cof. Y mae muriau
Na ddylem eu Cadw.

Rachel James (Beca)

ARIAN

Yng ngolau'r sêr
A thithau'n cysgu,
Mae'r byd yn sgleinio,
A chofiaf fel roedd
Eira i ni'n dau
Yn fantell arian
Ar wely newydd;
Y dafnau rhew yn ddeiamwntiau'r dychymyg
Pan nad oedd gennym ddim
Ond newid mân mewn poced,
A gardd flêr o gariad.

Heno
Yn oerni fy meddyliau
Mae fy Rhagfyr
Yn ddu a gwyn.

I hollti'r nos
Daw ager dadlau o ffenestri tai
I gwrdd â'r oerni,
Yn grisialau ots ...

A gwelaf rith o gwpwl
Hyd garped y barrug
Law yn llaw yn chwerthin,
Mor dlawd â'r eira
A phopeth ganddynt.

Bydd un ohonynt falle
Fel fi rhyw ddydd
Yn ddau lygad
Ar wydr oer
Yng nghanol nos,
Yn crefu gwreichion ffrae ...

Heno
Pan ddeffri di
Bydd hi'n dawelach
A bydd fy nhraed yn oeri ar garped gwlân,
Fy nos yn dduach
A 'mhocedi'n
Wag o sêr.

Mari George (*Aberhafren*)

ATEB

Y 'Paid â holi gormod'
Yn ei llygaid pell,
Y graith o wên sy'n sgrechian,
'Sut mae torri'r garw?'
Y 'Dwi ar frys'
Yn fflach ei chusan chwim,
Y 'Gad fi'n llonydd'
Yn ei mur o gefn, y mwythau pitw.

Do, fe welodd o'r cyfan.

Ond pan glywodd o hi'n datgan:
'Dwi'n gadael,
Mae'n rhy hwyr',
Fe'i dallwyd gan ddagrau ei syndod
Yn llwyr.

Annes Glynn (*Howgets*)

PENTREF
(Tafarn Bessie, Cwm Gwaun, Nos Galan Mai)

Hen ddynion ar y bar yn sobor iawn
Wrth gofio meirw'r gaeaf – beddau'n agor,
Drysau'n cau'n y cwm, eu sgwrs yn llawn
O'r ddamwain car a heintiau ola'r tymor;
Rhieni'n gwerthu raffl dros ferch o'r llan
Sy'n wael, a chyfri'r pennau sy'n yr ysgol;
Sais yn taro heibio yn y man
Â ffafr o bost y dre – eu swyddfa leol.
Mam-gu'n ei chwman wrth y grât, yn rhoi
Bwyd llaw i'r fflam fach felen fesul brigyn,
Ac at yr eneth ar ei glin mae'n troi
A dweud bod clychau'r gog yng ngallt Cilrhedyn.
Hen wraig a babi'n syllu'n hir i'r tân
A gwylio'r goelcerth ola'n llosgi'n lân.

Myrddin ap Dafydd (Y Tir Mawr)

ENGLYNION AMRYWIOL

TRI ABER

I Aberdeen am ginio – yna te'n
  Abertawe, rhuthro
  i Aberdâr am bryd o
  salad, a chaf noswylio.

              John Glyn Jones (Dinbych)

'ANODD DALLT YMENNYDD DYN'

Â llaw hael, gwella'i elyn – a wna'n llwyr
  Yna lladd ei gyd-ddyn;
  Yn arwr a dihiryn,
  Anodd dallt ymennydd dyn.

           Andrea Parry (Ysgol Dyffryn Conwy)

DWY AFON
(Ymuna Afon Brennig ag Afon Teifi ger Tregaron)

Ym Mrennig ein tymor heini – llifwn
  Yn llafar ag egni'r
  Gân iau, cyn y rhygnwn ni
  Yn do ifanc i Deifi.

             Hywel Griffiths (Y Glêr)

DWY AFON

Masgara'n gwau hyd ruddiau'r wrach – yn hagr
   Â dagrau'r hen fasnach;
Llifa drwy byllau afiach
Rhondda Fawr a Rhondda Fach.

                    Gwyn Jenkins (Tal-y-bont)

Englyn yn cynnwys teitl dau lyfr Cymraeg
(Tryweryn)

Ni fu yr un *chwalfa* waeth – na honno
   A unodd gymdogaeth,
   A hyd lôn ein chwedloniaeth
Yn garreg wrth garreg aeth.

                    Berwyn Roberts (Dinbych)

Englyn yn cynnwys y geiriau 'Cyn bo hir ...'

Yn awch y glaw anochel, awn yn bâr
   Cyn bo hir i fochel,
   Bwrw oes dan ymbarél
Tywydd dy wenau tawel.

               Tudur Puw (Manion o'r Mynydd)

PIGION Y TALWRN

Englyn yn cynnwys y geiriau 'Cyn bo hir ...'
(Bodelwyddan, a'r bwriad i godi 1,700 o dai)

Acenion o bell, cyn bo hir, a ddaw
 Bob yn ddarn o filltir
 I droi'r iaith yn dre' rithwir
Trwy roi taw ar eiriau'r tir.

       Rhys Iorwerth (Aberhafren)

Englyn yn cynnwys enw papur newydd
('Gotcha!')

Trwy grechwen y llythrennau a hiliaeth
 Hwyliog ei golofnau
 Yn y *Sun* mae ôl casáu,
 Ôl gwenwyn mewn sloganau.

      Aled Evans (Beirdd Myrddin)

'YN ÔL I'M CYNEFIN AF'

Yn yr hwyr ar ôl i'r haf – ymadael,
 'R ôl medi'r cynhaeaf,
 Yn ôl i'm cynefin af
I wylio'r machlud olaf.

      Iwan Bryn James (Y Cŵps)

Englyn yn cynnwys enw papur newydd

(... Sef y *Morning Star*. Gelwir y blaned Fenws yn 'Seren y Bore'.
Mae llwythau Aboriginaidd yn credu ei bod yn tynnu rhaff o olau
y tu ôl iddi sy'n eu galluogi i gysylltu â'u hanwyliaid marw.)

Daw'r wawr ar droad y rhod â'i llinyn
   Na all hen fudandod
   Diateb angau'i datod –
   Mae seren y bore'n bod.

Hywel Griffiths (Y Glêr)

Englyn yn enwi lle ym Mhen Llŷn

(Thomas Roberts 1765–1841. Ei waith enwocaf
oedd 'Cwyn yn erbyn Gorthrymder'.)

O Lwyn'rhudol ei fabolaeth, rhodio
   Strydoedd radicaliaeth
   Oedd ei ran a'i wasanaeth
   Yn 'Gwyn' dros ei werin gaeth.

Gari Wyn (Criw'r Ship)

Englyn yn cynnwys y geiriau 'Mi wn ...'

Mi wn fod bardd ag amynedd yn llawn
    Haeddu lle'n yr Orsedd,
    A siawns y caf felly sedd
    Yno ymhen can mlynedd.

Gari Wyn (*Criw'r Ship*)

Englyn yn cynnwys y geiriau 'Mi wn ...'
(Amy Winehouse)

Mi wn, yn dy ddrama unnos, i ti
    Gynnau tân wrth aros
    I dy lais, fel coelcerth dlos,
    Friwiedig, droi'n farwydos.

Aron Prichard (*Aberhafren*)

Englyn yn cynnwys 'heno' ddwywaith

Heno, heno mae dynion – yn bachu
    Hen blant bach i'r cyrion
    Â gwên un switsen ddi-sôn,
    A loes eu holl felysion.

Idris Reynolds (*Crannog*)

Englyn yn cynnwys y gair 'heno' ddwywaith

Na ddywed 'anfaddeuol' â'r fath awch,
  Â'r fath wên derfynol;
  A ga' i heno eto'n ôl?
  A ga' i heno gwahanol?

Emyr Davies (Y Taeogion)

'YN ARAF IAWN YR AF I'
(Cancr)

Yn araf iawn yr af i; o fymryn
  I fymryn, mynd ati
  Yn dawel tan y deui
  I'm teimlo'n dy hawlio di.

Rhys Iorwerth (Aberhafren)

CEGIN

Rwy'n disgwyl, mewn gwael hwyliau, – i gogydd
  Y gegin dymhorau
  Agor y ddôr i ryddhau
  Aer ei wanwyn i'm ffroenau.

Philippa Gibson (Tan-y-groes)

Englyn yn gorffen gyda llinell adnabyddus

Yr awdl heb unrhyw odle, – beiro hesb,
  Bwa'r arch heb liwie,
  A Santa'n brin o sane,
  Hynny yw dim onid e.

Dai Jones (Crannog)

ARWRIAETH

(Fy nhad-cu yn yr ysbyty pan oeddwn yn blentyn)

O'i fewn, roedd greddf i wenu'n gawr i gyd,
  Ac er gweld dynesu
  Ara' deg y gwacter du,
  Fe fynnaf gofio hynny.

Rhys Iorwerth (Aberhafren)

Englyn yn cynnwys y gair 'cyllell'

Yn ei gwên nid oedd un gwae, na cholled,
  Na chyllell, na chlwyfau;
  Er hyn roedd dwy freichled frau
  Yn addurno'i garddyrnau.

Ceri Wyn Jones (Y Taeogion)

PIGION Y TALWRN

Englyn yn gorffen â'r gair 'yfory'

Yn ddi-ffael, a fo'n gwaelu, – af i'w weld;
   Ei fyd yw'r ysbyty;
   Ond heno rhaid twtio'r tŷ –
   Fe af, hwyrach, yfory.

John Glyn Jones (*Dinbych*)

Englyn yn cynnwys enw afon
(Roedd fy mam yn 9 oed pan welodd ei brawd dwy a
hanner oed yn llithro o'i gafael ac yn boddi)

Gweled ei ddwyn gan Grwyne – o'i gafael
   I gof y blynydde
   Ac ail-fyw ei gilio fe
   Oedd ei hing ddydd ei hange.

Dafydd Williams (*Y Sgwod*)

Englyn yn cynnwys 'ond er hyn'
(Michael Jackson)

Yr oedd canu galar heddi drwy'r wasg,
   Ond er hyn, drwy'r crygni,
   Amau wnaf y troesom ni
   Ei ddoluriau'n ddoleri.

Emyr Davies (*Y Taeogion*)

Englyn yn enwi dwy gynghanedd

Hen lach y glaw ar lechi – yn cario
   Ar draws cerrig beddi,
   A min gwynt croes drwy'r meini:
   Mae hyn yn fy nychryn i.

Rhys Iorwerth (Aberhafren)

Englyn yn gorffen â'r gair 'wedyn'

Rhan o ddoe welwn ni 'rhen ddyn – yn hwyl
   Un eiliad mewn darlun;
   Roeddet ti yn llwydni'r llun
   Yn wyth oed am byth wedyn.

Berwyn Roberts (Dinbych)

CYWYDDAU

YR WYF ...

Yr wyf yn un o'r ifanc
Â hir oes cyn dyfod tranc;
Â'r haul o hyd ar y lôn
Byw ras o gamau breision
A wnaf, heb edrych yn ôl
Na phoeni am orffennol
I'm cau tan raffau ei rwyd:
Byw rhydd yw byw mewn breuddwyd;
Ond braidd yn uwch ydyw bryn
Nag ydoedd ddoe, ac wedyn
'Nos Sadwrn' sy'n fwrn na fu:
Wyf, yr wyf yn arafu.

Nia Powell (Manion o'r Mynydd)

DAU

Haf a'i haul ar adfeilion
Yn ei dro ddaw i'r dre' hon
Yn llawn prynhawniau llonydd,
I hel yn y rwbel rhydd;

Ond haul diarbed wedyn
Yn y llwch i'r ddau'n y llun
Yw'r haul ddaw dros yr hewlydd,
Ac o haf i haf fe fydd
Mis Ebrill a'i weddillion
Yn dal â'i waed hyd y lôn.

Rhys Iorwerth (Aberhafren)

ANGEL
(Cofgolofn ryfel Aberystwyth)

Yr wyf fyth uwch y dref hon
Yn waedd o hen newyddion,
Yn gyrru rhwyg, bob yn gri,
Drwy awelon du'r heli.

Lledu'r wyf, dros wyll o draeth,
I'r gorwel reg o hiraeth,
A galargan gwylanod
Ar gleisiau o donnau'n dod
Yn ôl o hyd yn niwl haf
Neu'n un ag ewyn gaeaf
Ar y lli, lle bwria'r lloer
Olau oesol o iasoer.

Aron Prichard (Aberhafren)

DATHLU

(Yn eistedd drws nesa' i gefnogwr Celtic mewn gêm bêl-
droed rhwng Celtic ac Arsenal. Rhoddir tywarchen o dir
Donegal dan smotyn canol y cae yn Park Head.)

Yn ei olwg fe welwn
Gynddaredd ddiddiwedd hwn,
Y sgryff o ŵr yn sgarff werdd
Y gang yn rhegi'i angerdd,
A wisgai gynnen Glasgow
Yn y gêm fel dyn o'i go'.
Yr oedd co' ym mhridd y cae
Dan y glaswellt yn gleisiau
A hanes yr hen gynnwr'
Eto fel tae'n gwylltio'r gŵr,
A oedd â'i floedd drwy'r gêm flin
Yn ddifaddau o fyddin.

Emyr Davies (*Y Taeogion*)

PAITH

'Rwyf ar daith dros baith y byd
Yn wylaidd heb f'anwylyd.
Ni welaf ôl camelod
Nac un dyn o'r wig yn dod
I roi llaw i'r teithiwr llwm
I'w gadw rhag ei godwm:
Yno'n hynt rhewynt yr haf
Parhau mae'r oriau araf,
Cans mae'r galar am aros
Fel y sêr yn nyfnder nos,
Aros i'm rhoi i'm gweryd
Wedi'r daith dros baith y byd.

Emyr Jones (Tan-y-groes)

PAITH

Lle bu llwythau dechrau'r daith
Yn rhannu pob gwawr unwaith,
A'r llwybrau oll heb yr un
Adwy na rhwystr wedyn,
A'r fforddolion aflonydd
Ar dywod aur hyd y dydd ...

Dod i ganol digonedd
Y rhai hyn, i dorri'r hedd
A wnawn ni, dod eto'n ôl
Yno i heidio'n wastadol,
Dwyn eu gwên, a'u gwneud yn gaeth,
A dwyn olew dynoliaeth.

Tudur Dylan Jones (Y Taeogion)

GWAGLE
(Wedi darllen cyfrol *Iwan, ar Daith*)

Nid o'wn yn ei nabod o.
Minnau, ni chofiwn mo'no
Ond fel rebel lefel A;
Un o'r genhedlaeth yna.

'Mond graddol sylweddoli
Ryw flwyddyn wedyn ydw i:
Naid ei gân o'r du a gwyn
Yn lliw hudol y Llwydyn,
Gwin ei lais. Ac yn ei le,
Y rhwyg eglur, y gwagle'n
Gân na ddaw, sŵn cystrawen
Yn dal 'nôl, a dalen wen.

Llŷr Gwyn Lewis (*Waunddyfal*)

AELWYD
(Batin, Llwyndyrus)

Heb dân nac wyneb dynol,
Aeth yn wyllt a noeth yn ôl;
Mae nythod chwilod a chwyn
Yn reiat drwy grud rhywun;
Helygen yw'r fam heno
A'i breichiau tenau yw'r to.

Ac yna'n nrws y gwanwyn,
Mae ôl llaw mewn fflamau llwyn
Briallu. Drwy'r tŷ a'r tir,
Â gwe iasoer o gaswir
Tan y coed o bobtu'n cau,
Mae gwên oedd yma gynnau.

Myrddin ap Dafydd (*Y Tir Mawr*)

DYCHWELYD

Ar ôl ymddeol bu'r ddau
Mewn hiraeth am hen erwau
Eu mebyd, cyn ymfudo
I'r decaf, hyfrytaf fro.
Mynd yno'n gyffro i gyd,
Y ddau am gadw'n ddiwyd.

Trio byw'n y pentre' bach;
Amheuon a ddaw mwyach
A'r ing o deimlo'r sarhad
Yn ddau o 'bobol ddŵad'.
Yn unig dan yr wyneb
Eu chwithdod oedd 'nabod neb.

John Glyn Jones (*Dinbych*)

DYCHWELYD

(Ar ôl gweld rhaglen lle roedd merch a fabwysiadwyd
yn chwilio am ei mam)

Ei dychwelyd yw chwilio,
Mae merch hardd ym mreichiau ei cho',
Tudalen o'i gorffennol,
Dalen wag a'i deil yn ôl.
Agor rhin y gwirionedd
I'w hanian gael hunan-hedd.

Daw hynt a helynt teulu'n
Adlef o hunllef a fu,
Ond canfod drwy'r cysgodion
Y llwybr oer a dyllai'i bron,
A merch a'i mam yn tramwy
Geiriau'r daith yn nagrau dwy.

Tudur Puw (Manion o'r Mynydd)

COEDEN

(Rai blynyddoedd yn ôl fe gafodd ywen Dafydd
ap Gwilym yn Ystrad Fflur ei tharo gan fellten)

Cyn daearu'r cnawd eirias
Ger mur Ystrad Fflur a'i phlas,
Cyn bod cywydd Gruffudd Gryg
Na si'r un Brawd Llwyd sarrug,
Mynnai'r hen, hen ywen hon
Nyddu ei chynganeddion.

A phan ddaeth bollt i'w hollti,
Rhuddo wnaeth ei rhuddin hi.
Ond deil o hyd i ddeilio
Yn ir fel ei awen o,
A mynnu byw, am na bydd
Dofi ar ywen Dafydd.

Huw Meirion Edwards (*Y Cŵps*)

RHWYG

Yn swp ym mhen draw cwpwrdd
Llawn o baent, llieiniau bwrdd,
Mae'r peisiau brau'n lluniaeth brys
A bair i wyfyn barus
Ddarnio'r wisg a'i haddurn rhad,
Cyweirio amdo'u cariad.

Dwy ran oedd i'w freuder o,
Y wên braf, yna'r brifo,
A'r hollt yn ei gwefus friw
Yn hunllef dan y minlliw.

Rhoi cip ar garpiau'r cwpwrdd
A wnaiff hi, cyn gyrru i ffwrdd.

Annes Glynn (*Howgets*)

GOLYGFA

Mae'r tarth yn codi'n ddiog;
Ochr y Garn dan glychau'r gog;
Ninnau'n agor i'r bore
A glaw nos ac arogl ne'
Ar wên meillionen; mae llun
O wlad Mai'n flodau menyn
Ar liain haul drwy lwyn onn:

Daw â'i gân i'r coed gwynion,
Mae'n chwerthin mewn eithin aur
A'i egin, ond mae pigau'r
Piod yn barod uwch ben
Yr ŵyn a nyth y ddraenen.

Myrddin ap Dafydd (*Y Tir Mawr*)

BRO

Enwyd pob rhan ohoni
Unwaith; rhoi'n hiaith arni hi
Yn nod; enwi pob nodwedd;
Rhoi gair i bob cwr o'i gwedd,
Yn afon, ffynnon a phant,
Enwau i ffridd a cheunant,
Enwau i hen dyddynnod,
Enw i bob erw'n bod.

Ein hunaniaeth yw'n henwau,
Yn hwyrddydd ein bröydd brau
Mae synau i'n henwau ni,
Synau sy'n hanes inni.

Ifan Prys (*Caernarfon*)

CAERNARFON

Caersaint sy'n creu ias o hyd,
A'r hen furiau'n y foryd
Yn dal mil o chwedlau mân
Hen fywydau yn fudan
Dan y sment a'r palmentydd,
O dan lwybrau dechrau'n dydd.

Ac yn halen y Fenai,
Cloi o'u hôl mae'r swnd a'r clai
Yr hanesion si-sôn sydd
Drwy'r mêr yn drwm oherwydd
Pan awn o'r dre'n ein henaint,
Aros o hyd fydd Caersaint.

Rhys Iorwerth (Aberhafren)

CYFOETH

O'i charu, hi ferch arian,
Ei du mewn fu'n newid mân,
A'i rodd mor dyner iddi
Oedd ei aur – arweiniodd hi
Am dro i wario'n araf
Oriau hir hyd draethau'r haf.

Nawr, diwerth yw eu chwerthin,
A'u caru hwy'n hydref crin,
A'i loes sy'n ei adael o
Yn neiliach ei gynilo
Heb fodd i ailfuddsoddi
Yn eu haul, na'i harian hi.

Owain Rhys (Aberhafren)

NATUR
(Llwybr barddoniaeth Dic Jones)

Awn o wib ein priffyrdd ni
Am ennyd i Gwmhowni.
Bydd gallt o gerdd i'w cherdded
O ddarn i ddarn, rhai a ddwêd
Am ôl dyn, am leuad wen,
Am fwlch ac am fwyalchen
A ganai yn y gwanwyn
A'r llais clir yn llonni'r llwyn.
Bydd daear fyw'n byw a'n bod
Yn dyfiant o gerdd dafod
A'r llwybrau a geiriau'r gân
Yn y cof yn gylch cyfan.

Idris Reynolds (Crannog)

TAITH

Gwasgem o'r neilltu gysgod
Â'r un haul wrth gyrchu'r nod,
Torri o hyd yr un tro
A gobaith yn ein gwibio;
Gwelem 'run wlad â'n gilydd,
'Run cloddiau'n rhubanau rhydd
O'n deutu, hwythau'n datod
Yn sborion gwyw byw a bod,
Ninnau'n dal ati'n union,
Ond ar ôl hyn, pen draw'r lôn
Yw darfod, a thrwy derfyn
Fe af ar fy mhen fy hun.

Nia Powell (Manion o'r Mynydd)

GWARCHOD

(Hydref 2009. Ar ddiwrnod gwlyb yng ngardd goffa Tower Hill, Llundain, cofeb i'r morwyr a gollodd eu bywydau yn ystod y ddau Ryfel Byd. Coffëir fy ewythr, Emlyn Thomas o Rydlewis, ar un o'r meini. Bu farw ar fwrdd yr *Emiliano* ym 1942, wedi ei tharo gan dorpido.)

Eiliad fach ganol Tachwedd
I gof un heb garreg fedd.
Glaw mân yn gloywi meini
Yn yr ardd, fy seintwar i;
Geiriau glân ar garreg lwyd
I gofio'r golled gafwyd.
Yno, ym mysg yr enwau,
Un a'i ffawd rwy'n ei goffáu;
Pêl dân 'r *Emiliano*
A'i hysodd, a'i hawliodd o.
Eiliad fach ganol Tachwedd
I gof un heb garreg fedd.

Terwyn Tomos (Glannau Teifi)

GWARCHOD

Gwae'r dyn sy'n tagu'n y tarth
Mewn syched am win Sycharth.
Ni wêl hwnnw'n cadw'r co'
Un arwydd i'w gyfeirio;
Ni chlyw chwaith ond bratiaith brain
I'w dywys i dŷ Owain.

Daw heb ganllaw drwy Gynllaith,
'Mond i weld ym mhen y daith
Ryw fryn glas didresmas draw
Yn ddiystyr o ddistaw:
Gweld ein gwlad yn glwyd dan glo
A'n hanes dan chwyn yno.

Huw Meirion Edwards (*Y Cŵps*)

DINAS

(I Ysgol Gymraeg Bryntaf, Caerdydd.

Yr oedd yr ysgol, pan oeddwn i'n ddisgybl yno, o fewn
ychydig lathenni i ffin ogleddol y ddinas, a'r caeau.)

Ni ddaeth mwy nag un neu ddau
 chred i'r dechreuadau
Law yn llaw, yn groes i'r llif
Yn holl lifrai lleiafrif,
Rhyw res fain o'r oes a fu
A'u hysgol wedi'i gwasgu
I eithaf ffin y ddinas
Yno i fod ar y tu fas;
Ond, er rhoi pob rhwystr i'w hynt,
Ebrill o weddill oeddynt,
Egin glas dinas Caerdydd,
Y nhw yw'r Gymru newydd.

Nia Powell (*Manion o'r Mynydd*)

DINAS

Y mae trawiad nos Sadwrn
Yn dod i Lundain mewn dwrn,
Un llafn yng nghanol y llu
Ar unwaith sy'n trywanu,
I droi holl fonllefau'r stryd
Yn adlef olaf waedlyd.

Ym mhen amser, daw cerydd,
Arllwys dagrau dechrau'r dydd
Wna torf wedi'r weithred hyll
Ar goll mewn bro o gyllyll,
Yn dorf sydd â'i phryder dwys
Yn tyfu ar lan Tafwys.

Aron Prichard (Aberhafren)

CYWYDD SERCH

Tra bydd Llanddwyn, myn Dwynwen,
A'r Frenni'n fawr dan wawr wen,
Tra halen yn lli'r Fenai
A chân Teifi'n moli Mai,
Fe fydd (o bob rhyfeddod
Ym mhen bardd y mwya'n bod)
Rhyw ran fach o'r hyn a fu
Yn aros. Deil, yfory,
Ein geiriau'n atgo oerias
Yn sisial hesg Ynys-las;
Deil ôl ein traed hyd lan traeth
A'r môr yn drwm o hiraeth.

Huw Meirion Edwards (Y Cŵps)

CYWYDD SERCH
(I Mam)

Hi'r fynwes gynnes i gyd,
A Mai bob mis o 'mywyd,
Hi siarad lawn cysuron,
Hi wawr liw, ac ar y lôn
Hi ddal llaw pob taith lawen
Yn dynn iawn ... cyn mynd yn hen.

Mae Mai yn dawel mwyach
Hyd lôn hir y feidir fach,
Ond yma â'i gwên daw i'm gŵydd,
Dod i dorri'r distawrwydd
Yn awr gan rannu'r stori:
Y mae fy mam efo mi.

Tudur Dylan Jones (Y Taeogion)

ALLAN YNG NGHAERNARFON
(Adeg Gŵyl Arall, 17 Gorffennaf 2009)

Y mae twrw'r criw dŵad
A'u gweiddi a'u rhegi rhad
Heno'n aros dros bob stryd,
Yn haf pob tafarn hefyd,
Ond gan fod heulwen Menai
Yn dal i llnau toeau'r tai
A llanw effro'r Foryd
Yn rhoi her i'r trai o hyd,
Ni ddown a maddau heno:
Hi yw ein tref, am y tro.

Rhys Iorwerth (Aberhafren)

GWESTY'R EMLYN, TAN-Y-GROES

I gael hwyl yng nghefen gwlad,
Gwyddom am un gwahoddiad,
A 'Than-y-groes' o groeso
Yn frith ar ieithwedd y fro.
Cawn eistedd wrth wledd ddi-lol
Yn rhyfedd o gartrefol;
Seiadu dros laseidiau,
Yn ddoeth wedi peint neu ddau,
A'u rhannu â'r rhai annwyl
Gynt fu yma'n rhan o'r hwyl.
Awn yn hŷn, ond gwn, ni waeth;
Awn yn iau drwy'r gwmnïaeth.

Emyr Davies (*Y Taeogion*)

GWESTY'R EMLYN

Rhaid i ardal wrth galon
I greu un gymuned gron.
A John a staff y caffi
Yw calon ein henfro ni.

Y lloriau hyn yw lle'r oed
I'r awenydd a'r henoed,
I rai brwd ein papur bro
A chân a chwist a chinio.
Ar agor i gôr neu gìg,
Pryd-ar-glud neu hwyl gwledig,

A'r heniaith frau ei heinioes
Mae'n ei grym yn Nhan-y-groes.

Dic Jones (*Crannog*)

CYFARCHIAD PEN-BLWYDD
I MI FY HUN

Wrth i'r blwyddi dorri'n don
Ar chwâl dros fân orchwylion
Rhegaf, wrth deimlo'r trigain
Ynof fi, yn groglath fain
Yn dwyn yn nes, wrth dynhau
Orwel y byw dieiriau.

Ond ynof y mae'r deunaw'n
Dal o hyd i godi'i law
Yn ddwrn, gan fy ngwahodd i
I ras tu hwnt i'r tresi.

Â Mai hyd berthi 'mywyd,
Codaf – y mae'n haf o hyd.

Nia Powell (*Manion o'r Mynydd*)

PERSAWR

(Y tro olaf i mi weld fy mam-gu oedd yn yr ysbyty rai
dyddiau cyn y bu farw ddiwedd Ebrill 2008, ychydig yn
brin o'i phen-blwydd yn 95 oed. Hwn oedd y tro cyntaf
erioed i mi ei gweld heb na cholur na phersawr arni.)

Cyn bod blodau cain y bedd
Yn llenwi'r llwyni llynedd,
Y ddraenen wen a wenai
Fel ewyn môr o flaen Mai,
Yn glychau gŵyl a golch gwyn,
Blawd mân rhwng blodau menyn;
Cwmwl gwlân oen dianaf,
Eira glân â'i arogl haf.

Ond ymhen dim yn ei dail
Gwywai gwynder y gwiail
Digolur a digalon;
A thra oedd yno'n ei thro'n
Bren noeth yn yr hwyr brynhawn,
Ni wisgai'i phersawr ysgawn
Â'i flas fel golch a grasai,
Fel maes a môr, fel mis Mai.

A heno, wrth gofio'i gwedd,
Rwy'n llawn, fel rown i llynedd,
O'r arogl nas aroglwn
Y tro cyntaf olaf hwn.

Ceri Wyn Jones (*Y Taeogion*)

TÂL

(Er cof am Dafydd Whittall, cyfaill oes a
chyn-aelod o dîm Talwrn Dinbych. Y tâl i
mi oedd cael ei gyfeillgarwch.)

Tre-garth sy'n bentre o gur,
Dafydd gwmnïwr difyr,
Yn ifanc aeth o'i lwyfan
O raid, ar ganol ei ran.
A rhyfedd fydd pob Prifwyl
Heb le i'w b'rablu a'i hwyl.

Yn raenus, gyhoeddus, gŵr
Oedd ddiysgog addysgwr.
Gwelai werth diwyllio gwlad,
A'i geiriau oedd ei gariad;
Ei wlad wâr a'i aelwyd o
A roddodd gysur iddo.

John Glyn Jones (*Dinbych*)

ENNILL

Un ras o gamau breision,
Awr ar ôl awr hyd y lôn;
Un ras hir, ac un her sy'
Yn rhy unig i'w rhannu;
Unig ymysg ugeiniau
O gyrff o amgylch yn gwau.
Drwy rhyw wal o flinder â
Am nos y camau nesa'
A chur un ymdrech arall,
A'r holl wefr o guro'r llall.
Ond erioed daw clod i ran
Yr un all goncro'i hunan.

John Glyn Jones (*Dinbych*)

GÊM

Coedlan a cheulan a chae
Herwa yw ei faes chwarae,
A ffrwyth y past a'r wastfach
Yn nyfnder syber y sach
Ar ei war. Nid yw fyth bron
Yn gadael y cysgodion.

Nid ad i'w droed dorri ust
Y weirglodd lle mae'r hirglust,
Nac allt serth y berth lle bo
Ieir ffesant yn gorffwyso.
Yn oriau mân y bore
Mae'i fywyd i gyd yn gêm.

Dic Jones (*Crannog*)

GOFYN
(I ofyn llwyth o dail gan fy mrawd-yng-nghyfraith)

Amheuthun fyddai, Mathew,
Gael un llond berfa go lew,
Nid o ben dy domen dail
Ond o chwysiad ei chesail.
Hel drwy Lanfihangel lwyth
I ddeffro fy ngardd ddiffrwyth.
Chwâl â'th raca'r caca cob
A rho obaith i riwbob.

Yn dâl am hyn o deilwaith,
Mathew, os doi (moethus daith),
Wedi chwalu dychwela
I hawlio rhan o liw'r ha'.

Huw Meirion Edwards (*Y Cŵps*)

FFAIR
(Reid y bympyrs yn Ffair Aberteifi)

Yn ias wen fesul synnwyr,
Yn ogle oel a glaw hwyr,
Goleuai a drysai'r dre
Â'i chawodydd sgrechiade;
Ac uwch ei cheir a'i seiren
Dawnsiai'n ddrwg, fel gwg a gwên,
Wreichionen ar weiren wan
Ar drawiadau o drydan.

Fel clatsien i'm hasennau,
Fe ofnwn ei sŵn a'i swae;
Eto o hyd down nôl at hon:
Yr oedd nefoedd mewn ofon.

Ceri Wyn Jones (Y Taeogion)

BWLCH
(Cofio Roy Davies)

Ym Mhen-bre mae un yn brin,
Un â'i werthoedd mewn chwerthin;
Y Talwrn sy'n tawelu,
Heno'i ddweud sy'n neuadd ddu.

Un yn llai sy'n llonni'n llên
A llai o odlau llawen,
Y stori a'i gerddi'n gur
A'i ddwli yn troi'n ddolur.

Ei ddawn ef ni ddaw yn ôl,
Y ddawn i ganu'n ddoniol;
Heb Roy a heb yr awen,
Un gadair wag ydyw'r wên.

Geraint Roberts (Y Rhelyw)

BWLCH

Pan fo galar yn aros
Yn hir, a holl oriau'r nos
Yn galw ar ei gilydd
I ddifetha toriad dydd,
Hen ddagrau anniddigrwydd
Hyd fy arffed red yn rhwydd.

A phan fo lefel fy ffydd
I lawr yn y selerydd,
A'r distawrwydd yn llwyddo
I beri ing â'i bŵer o,
I mi yn yr oriau mân
O hyd, mae'r bwlch yn llydan.

Dai Rees Davies (Ffostrasol)

STRYD

Drwy fy oes fe grwydraf hon
Ac oedi'n ei chysgodion
Am eiliad; camu eilwaith
A dyheu gweld mwy o'r daith.

Ar dro, stryd o rwystrau yw,
Neu lydan heol ydyw.
Weithiau rhag stormydd cuddiaf,
Ar brydiau mwynhau ei haf.

'R un yw hyd y siwrnai hon
Awr heulog, awr treialon.
Ni welaf eto'r niwlen
Sy'n dwyn stryd bywyd i ben.

John Glyn Jones (*Dinbych*)

GWRTHRYFEL
(Pasg 1916)

Hanes hir y ddinas hon,
Ei meirw a'u murmuron
Sydd heddiw'n mud gyniwair
A'u poen yn artaith y pair,
Y graith fu i rywrai'n groes
Yn Nulyn ddyddiau'r dduloes.

A chofiwn y Pasg hwnnw,
Y gwŷr llên yn gwirio'u llw,
A'u hangerdd hyd at angau
I feithrin Erin o'i hiau.
Oes dirnad mor ofnadwy,
Mor brydferth eu haberth hwy?

Rachel James (Beca)

TAFARN

Wrth ei hagor gefn bore
Ti'n yfed disgled o de,
Rhoi'r stoliau i lawr, eiste' lan
A sgwrio pres ac arian.

Mae'r pren ar lawr yn sawru,
Tyllau'n ei baent lle na bu,
A dau beint o ddiheintydd
Ar y bar. Am oriau bydd

Dy ddwylo'n ei hiro hi,
A llonydd yn ei llenwi,
Nes i nawr noson arall
Roi ei llawnder yn lle'r llall.

Eurig Salisbury (Y Glêr)

CWLWM

Pysgotwr yn y mwrin
Yn rhwymo'n fodlon ar fin
Yr hen gei ronyn o gwch
I gwlwm diogelwch,
Plethu'i gamp laith o'i gwmpas
Rhag i'r môr ei gario mas.

Minnau ar fin cymoni
Fy mhlethwaith llaith ar y lli,
Cordeddu'n dynn derfyn dydd
Rith o gywarch wrth gywydd
Yn gwlwm plyg o'i gwmpas
Rhag i'r môr ei gario mas.

Eurig Salisbury (*Y Glêr*)

SIÔN A SIÂN

Gwasgai'r lluniau brau i'w bron,
Gafael yn eu hatgofion;
Cofio'r heulwen ar wenwisg,
Y gwawn yng ngwead ei gwisg,
Lliwiau'r dorch, gwynder gorchudd,
Gwelai'r gwrid golura 'i grudd.

Mae eu haf yn darfod mwy,
Mae hydre'n aur ei modrwy.
Pylu heddiw mae'r lliwiau
Brith, ac mae'r dyddiau'n byrhau.
Y mae ias yng nghalon mun
A hirlwm ym mhob darlun.

Iwan Roberts (*Llanrug*)

DIAL

(Yn 1989 gosodwyd cofeb yng Nghasnewydd i gofio
saethu 22 o Siartwyr gan filwyr Prydain yn 1839)

Mae cyflafan ein hanes
Yn parhau mewn cerflun pres,
A'r grym ymhob ystum bach
Yw wyneb hawliau'n llinach
Ar bob lôn, lle clywir bloedd
Anniddig y blynyddoedd.

Er hyned y bwledi,
Ein talu'n ôl tawel ni
Ydyw'r waedd sydd ar y stryd
Yn fyddin o gelfyddyd.
Mae llechen a rhestr enwau
Maith y cof yn methu cau.

Geraint Roberts (Y Rhelyw)

DARLUN

Rwy'n bod fel rhes o godau,
Yn un rhif mewn cyfrif cau;
Gwnaed i mi, yn gnawd mwyach,
Y data mân, bychan, bach,
O'u cau yn y ffeiliau cudd,
O'u creu nhw fel croen newydd
Mae lluniau a'm holl hanes
Yn rhifau llwyd, er fy lles.

Y sgrin hon yw f'esgyrn i,
Wyneb a wnaed ohoni,
Wyneb yr holl ddarluniau
Sy'n un rhif mewn cyfrif cau.

Hywel Griffiths (*Y Glêr*)

ANIFAIL ANWES

I'r ardd gefn, yn gerddi i gyd,
Y daw yr adar diwyd
Efo'r awen foreol,
Gan barablu'n hy yn ôl
A galw ar ei gilydd
Mewn aduniad doriad dydd.

Ni chlywant felan canu
O'r tu ôl i ddrysau'r tŷ,
Lle mae un ohonyn nhw,
Un anwylach, yn galw
Wrth edrych draw o gawell
Ar y byd a'i weld mor bell.

Rhys Iorwerth (*Aberhafren*)

TAFARN

(I'r Delyn Aur, hen dafarn porthladd Aberglaslyn
cyn i'r cob alltudio'r môr i Borthmadog.
Adeilad y dafarn yw'r unig un sy'n dal i sefyll yno,
ac yn dŷ annedd.)

Fe fu yno dref unwaith
Yn gei a gwŷr a chwys gwaith,
Llond Aber o sgwneri'n
Hepian yn llepian y lli,
A'r byd, fin nos, ger y bar
Yn heigio'n griw chwedleugar,
Hiraeth a *rum* yn gymysg
Â graean mân yn eu mysg.
Ond troes tonnau'n gaeau gwyn
A dialaw yw'r Delyn,
Yng nghwmni neb wynebaf
Un tŷ, a'r tŷ'n lluest haf.

Nia Powell (*Manion o'r Mynydd*)

NEWYDD DA

(Daeth y mab â 'newydd da' adref o'r ysgol
feithrin un diwrnod)

O do, fe wthiais bob dydd
Holl iaith *Cyw* a llaeth cywydd,
A'th fwydo â thafodieth
Uwd-a-mêl idiome, wêth;
A, bob nos, fy maban i,
Gorddais yr hwiangerddi:
'Heno, heno' dy heniaith
Yw 'fory, fory' fy iaith.

Ond 'nôl o'r ysgol, er hyn,
Er gwaetha' dy dad wedyn,
Dest fel sgolor â'th stori
Fain tua thref: '*One-two-three*'.

Ceri Wyn Jones (*Y Taeogion*)

FFRAE

Ni wyddwn y dydd hwnnw
Na wellai ef, ar fy llw.
Ni sylwais ar y salwch
Yn ofidion drwyddo'n drwch,
Na hidio eiliad wedyn:
Malio dim sut 'teimlai dyn.

Ni wyddwn chwaith y gwyddai
Ef ei hun beth oedd ar fai.
Gwyddai nad âi mo'r ofn du,
Ni rannai'i ofn, er hynny.

Dweud dim oedd ein nod ni'n dau:
Byw i haeru heb eiriau,
Yn waedd o anwybyddu,
Yn wylltio hawdd o'r naill du,
A gwlad o ddrwgdeimlad oedd
I'n hynysu am fisoedd.

Ni wyddwn y dydd hwnnw
Na wellai ef, ar fy llw.
Heno, mi welais synnwyr,
Ond erbyn hyn mae'n rhy hwyr.

Rhys Iorwerth (Aberhafren)